Ready®

2 **Matemáticas**

En español

Vice President of Product Development: Adam Berkin
Editorial Director: Cindy Tripp
Project Manager: Grace Izzi
Executive Editor: Kathy Kellman
Supervising Editors: Pam Halloran, Lauren Van Wart
Cover Design: Matt Pollock
Cover Illustrator: O'Lamar Gibson
Book Design: Jeremy Spiegel

ISBN 978-1-4957-2406-0
©2017–Curriculum Associates, LLC
North Billerica, MA 01862
No part of this book may be reproduced
by any means without written permission
from the publisher.
All Rights Reserved. Printed in USA.
17 16 15 14 13 12 11 10 9 8 7 6 5 4 3 2

Contenido

Los estándares en negrita son los estándares de enfoque que abordan el contenido principal de la lección.

Contenido continuación

Los estándares en negrita son los estándares de enfoque que abordan el contenido principal de la lección.

Los estándares en negrita son los estándares de enfoque que abordan el contenido principal de la lección.

Usamos nuestro razonamiento matemático para resolver todo tipo de problemas. Incluso podemos resolver problemas difíciles de la vida real.

Hay ocho hábitos en las matemáticas que reforzarán tu razonamiento matemático.

¡Sigue practicando! Aprenderás a pensar como un experto. Luego estarás listo para resolver cualquier problema.

LOS 8 HÁBITOS EN LAS MATEMÁTICAS

1 Resuelve problemas.
Sigue buscando pistas hasta que resuelvas el problema.

2 Piensa y razona.
Entiende las palabras y los números de un problema.

3 Muestra y explica.
Comparte tus ideas matemáticas para que los demás te comprendan mejor.

4 Usa las matemáticas en el mundo real.
Resuelve problemas de la vida real.

5 Elige una herramienta.
Decide cuándo usar herramientas como fichas, un lápiz o el cálculo mental.

6 Sé claro y preciso.
Habla y actúa con la mayor exactitud posible.

7 Observa los detalles.
Busca las semejanzas y las diferencias.

8 Usa patrones.
Busca patrones en las matemáticas para hallar atajos.

Lee más sobre los hábitos en las matemáticas en las siguientes páginas.

HÁBITO ① EN LAS MATEMÁTICAS

Resuelve problemas.

Sigue buscando pistas hasta que resuelvas el problema.

En algunos problemas, quizás no sepas por dónde empezar. Quizás tengas que intentar de más de una manera para hallar la respuesta. Sin embargo, tu respuesta siempre debe tener sentido.

Para resolver problemas

Pregúntate
- ¿Puedo decir lo que pide el problema?
- ¿Puedo hacer preguntas para comprenderlo mejor?
- ¿Puedo intentar de otra manera si es necesario?

Luego, comenta con un compañero
- Me aseguré de que comprendí el problema cuando…
- Sé que mi respuesta tiene sentido porque…

HÁBITO ❷ EN LAS MATEMÁTICAS

EPM 2 Razonan de manera abstracta y cuantitativa.

Piensa y razona.

Entiende las palabras y los números de un problema.

Razonar es pensar y relacionar unas ideas con otras. Cuando sabes algo, eso te lleva a entender algo más. Razonar es usar las reglas de las matemáticas y el sentido común al mismo tiempo.

Para usar el razonamiento al resolver un problema

Pregúntate

- ¿Puedo usar la suma para resolver un problema de resta?
- ¿Puedo escribir una ecuación para hallar la respuesta de un problema?
- ¿Puedo comprobar mi respuesta para ver si tiene sentido en el problema?

Luego, comenta con un compañero

- Convertí el problema en números cuando escribí…
- Comprobé mi respuesta cuando…

HÁBITO ③
EN LAS MATEMÁTICAS

EPM 3 Construyen argumentos viables y critican el razonamiento de otros.

Muestra y explica.

Comparte tus ideas matemáticas para que los demás te comprendan mejor.

Explicar las ideas matemáticas a los demás te ayuda a comprenderlas aún mejor. Eso te servirá para resolver otros problemas en el futuro. También es útil escuchar a los demás. ¡Así se te ocurren nuevas ideas!

Para explicar tus ideas o escuchar las de los demás

Pregúntate

- ¿Puedo usar palabras para mostrar cómo resolver el problema?
- ¿Puedo usar dibujos o representar el problema con objetos?
- ¿Puedo hacer preguntas para comprender mejor las ideas de otra persona?

Luego, comenta con un compañero

- Hice dibujos para mostrar…
- Expliqué mis ideas cuando dije…

HÁBITO ❹
EN LAS MATEMÁTICAS

EPM 4 Realizan modelos matemáticos.

Usa las matemáticas en el mundo real.

Resuelve problemas de la vida real.

Una de las mejores maneras de usar tu razonamiento matemático es resolviendo problemas de la vida diaria. Las palabras dicen cómo es la situación del problema. Las matemáticas convierten las palabras en un modelo, como un dibujo o una ecuación.

Puedes usar modelos para resolver problemas sobre compras, deportes o… ¡casi cualquier cosa!

Para resolver un problema de la vida real

Pregúntate

- ¿Puedo hacer un dibujo o escribir una ecuación para mostrar los cálculos?
- ¿Puedo usar mi modelo matemático para resolver el problema?
- ¿Puedo comprobar que mi respuesta tenga sentido?

Luego, comenta con un compañero

- Usé un modelo matemático cuando…
- Sé que mi respuesta tiene sentido porque…

HÁBITO ⑤
EN LAS MATEMÁTICAS

EPM 5 Utilizan estratégicamente las herramientas apropiadas.

Elige una herramienta.

Decide cuándo usar herramientas como fichas, un lápiz o el cálculo mental.

Hay muchas herramientas que pueden usarse en las matemáticas. Un lápiz sirve para hacer muchos cálculos. A veces, es útil usar fichas o bloques de base diez. A menudo puedes hacer los cálculos mentalmente.

Para elegir las mejores herramientas

Pregúntate

- ¿Puedo resolver mentalmente alguna parte del problema?
- ¿Puedo escribir el problema en una hoja de papel?
- ¿Puedo usar bloques de base diez?

Luego, comenta con un compañero

- Las herramientas que elegí para este problema fueron…
- Elegí estas herramientas porque…

HÁBITO ⑥
EN LAS MATEMÁTICAS

EPM 6 Ponen atención a la precisión.

Sé claro y preciso.

Habla y actúa con la mayor exactitud posible.

A todos nos gusta que nuestros cálculos sean correctos. Pero a veces cometemos errores. Por eso es bueno comprobar nuestro trabajo. También conviene decir claramente nuestros razonamientos matemáticos.

Para ser claro y preciso

Pregúntate

- ¿Puedo usar palabras que ayuden a los demás a comprender mis ideas matemáticas?
- ¿Puedo buscar otras maneras de comprobar mi trabajo cuando sumo o resto?

Luego, comenta con un compañero

- Tuve cuidado de usar las palabras precisas cuando…
- Comprobé mi respuesta cuando…

HÁBITO ⑦
EN LAS MATEMÁTICAS

EPM 7 Buscan y utilizan estructuras.

Observa los detalles.

Busca las semejanzas y las diferencias.

En las matemáticas hay reglas. Fíjate en estos problemas:

$2 + 0 = 2$

$3 + 0 = 3$

Observa para ver qué es *igual* en los problemas. Cualquier número más 0 sigue siendo el mismo número.

Observa para ver qué es *distinto* en los problemas. Los números que fueron sumados a 0 son distintos.

Para observar los detalles

Pregúntate

- ¿Puedo ver cómo diferentes números están formados por decenas y unidades?
- ¿Puedo ver qué sucede cuando sumo números en cualquier orden?

Luego, comenta con un compañero

- Observé y usé una regla matemática cuando…
- Observé y hallé una diferencia cuando…

HÁBITO ⑧ EN LAS MATEMÁTICAS

EPM 8 Buscan y expresan regularidad en razonamientos repetitivos.

Usa patrones.

Busca patrones en las matemáticas para hallar atajos.

En las matemáticas es muy importante prestar mucha atención. Quizás halles un patrón o veas una idea matemática.

Piensa en el patrón que hay cuando cuentas de diez en diez:

   10, 20, 30, 40, 50…

Puedes usar el patrón para hacer una buena suposición de qué viene después.

Para usar patrones

Pregúntate

- ¿Puedo hallar un patrón en un problema de matemáticas?
- ¿Puedo usar palabras de matemáticas para describir mi patrón?
- ¿Puedo averiguar qué sigue?

Luego, comenta con un compañero

- Vi un patrón en este problema cuando me fijé en…
- Usé el patrón para hacer una buena suposición cuando…

Unidad 1
Operaciones y pensamiento algebraico

Conexión a la vida real Jimena tiene 8 primas y 9 primos. Le gusta hacer planes para divertirse con sus primos. Para hacer esto, Jimena debe responder varias preguntas. Por ejemplo:

- ¿Cuántos primos tiene en total?
- ¿Cuántos boletos para el cine necesitan?
- ¿Puede agrupar a sus primos en dos equipos de *kickball* iguales?

En esta unidad Aprenderás varias maneras de sumar y restar. Luego podrás resolver problemas como los de Jimena.

Aprendamos algunas estrategias para sumar y restar.

✔ Comprueba tu progreso

Antes de comenzar esta unidad, marca las destrezas que ya conoces.

Puedo:	Antes de la unidad	Después de la unidad
usar familias de datos para sumar y restar.	☐	☐
contar hacia adelante para sumar y restar.	☐	☐
hallar primero la suma de 10 para sumar dos números.	☐	☐
resolver un problema verbal de un paso.	☐	☐
hallar números pares e impares.	☐	☐
usar la suma para hallar el número total de objetos que hay en una matriz.	☐	☐
usar la suma y la resta para resolver un problema con más de un paso.	☐	☐

Piénsalo bien

¿Cómo se usan las familias de datos y contar hacia adelante para sumar y restar mentalmente?

Ya sabes cómo hacer un dibujo para restar.

$$12 - 3 = 9$$

¿Cómo se resta mentalmente?

Piensa Puedo usar familias de datos.

Halla la **diferencia**. $12 - 3 =$?
Piensa en el problema como $3 + \boxed{?} = 12$.

Completa el enlace numérico de esta familia de datos.

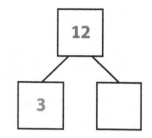

Ahora puedes escribir los cuatro datos de esta familia.

$3 +$ _____ $= 12$ $\qquad$ $12 - 3 =$ _____

_____ $+$ _____ $= 12$ $\qquad$ $12 -$ _____ $=$ _____

El **total** de cada dato de suma es 12.

Piensa Puedo contar hacia adelante.

¿Cuánto es **11 − 8**?

Piénsalo como **8 +** ☐ **= 11**.

Encierra en un círculo el 8 en la tabla. Marca cada recuadro que cuentes para llegar a 11.

¿Qué número le sumo a 8 para obtener 11?

1	2	3	4	5	6	7	8	9	10
11	12	13	14	15	16	17	18	19	20

¿Cuántos números contaste? _____

Ahora sabes cuatro datos. Escribe los datos.

8 + _____ = 11   11 − 8 = _____

_____ + _____ = _____   _____ − _____ = _____

▶ Reflexiona Trabaja con un compañero.

1 **Conversa** Quieres contar hacia adelante para hallar 2 + 6. ¿Con qué número empezarías? ¿Por qué?

Escribe _____

_____

_____

Piensa en ▶ **Usar otras estrategias para restar**

⊙ ⊙ ⊙ ⊙ ⊙ ⊙ ⊙ ⊙ ⊙ ⊙ ⊙ ⊙ ⊙ ⊙ ⊙ ⊙ ⊙

🔍 **Explora la idea** **Usa familias de datos y contar hacia adelante.**

2 Completa los espacios en blanco en la ecuación.

$12 - 8 = \boxed{?}$ es lo mismo que _____ $+ \boxed{?} =$ _____ .

3 Cuenta hacia adelante para mostrar $12 - 8 = \boxed{?}$.

4 Explica qué hiciste en el problema 3.

_____

_____

_____

5 Completa los espacios en blanco en la ecuación.

$14 - 6 = \boxed{?}$ es lo mismo que _____ $+ \boxed{?} =$ _____ .

6 Completa el enlace numérico para hallar $14 - 6$.

7 Explica cómo imaginar un enlace numérico ayuda a hallar $14 - 6$ mentalmente.

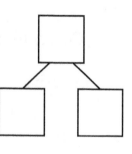

_____

_____

_____

¡Vamos a conversar!
Trabaja con un compañero.

8 Carla dice que no contaría 9 hacia adelante desde 2 para hallar $2 + 9$. ¿Estás de acuerdo? ¿Por qué?

_____

_____

_____

9 ¿Cómo explicarías a un estudiante que no fue a clases qué hacer para restar mentalmente?

_____

_____

_____

▶ **Prueba de otro modo** Usa una recta numérica vacía.

10 Diana está hallando $13 - 7$. Ella imagina esta recta numérica vacía.

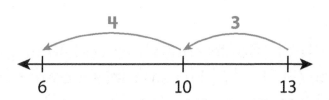

¿Cuál es su respuesta?

$13 - 7 =$ _____

11 Imagina una recta numérica vacía para hallar $15 - 7$ y luego dibújala.

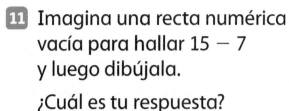

¿Cuál es tu respuesta?

$15 - 7 =$ _____

Conecta ▶ Ideas sobre Familias de datos

Comenta estas preguntas con la clase. Luego escribe tus respuestas.

12 Explica Teresa dice que las ecuaciones de abajo pertenecen a la misma familia de datos porque ambas tienen 5 y 8. ¿Estás de acuerdo? Explica.

$$5 + 8 = 13 \qquad\qquad 8 - 5 = 3$$

_____

_____

_____

13 Analiza ¿Qué problema sería más rápido de resolver al contar hacia adelante? ¿Por qué?

$$7 + 8 = ? \qquad\qquad 7 + 2 = ?$$

_____

_____

_____

14 Identifica Daniel contó hacia adelante para hallar $7 + 4 = \boxed{?}$. En esta tabla mostró cómo contó hacia adelante. ¿Qué hizo mal?

7	8	9	10	11
/	/	/	/	

_____

_____

_____

Aplica ▶ **Ideas sobre Familias de datos**

Combina todo   **Usa lo que aprendiste para completar esta tarea.**

15 Mira estas ecuaciones.

$$11 - 6 = ? \qquad\qquad 9 + 4 = ?$$

Parte A   Muestra una manera de resolver $11 - 6 = \boxed{?}$.

$11 - 6 =$ _____

Parte B   ¿Por qué resolviste el problema de esa manera?

_____

_____

Parte C   Muestra una manera de resolver $9 + 4 = \boxed{?}$ que sea diferente de lo que hiciste en la Parte A.

$9 + 4 =$ _____

Parte D   ¿Qué manera crees que usarás más a menudo para sumar números mentalmente? ¿Por qué?

_____

_____

_____

Resuelve problemas verbales de un paso

Usa lo que sabes

Resuelve un problema de un paso.

Sebastián comió 9 uvas. Luego su papá le dio más uvas, y se las comió todas. Sebastián comió 15 uvas en total. ¿Cuántas uvas le dio a Sebastián su papá?

a. ¿Cuál es el número total de uvas que comió Sebastián? Escribe este número en el recuadro de arriba.

	?

b. ¿Cuántas uvas comió Sebastián primero? Escribe este número en el recuadro de la derecha.

c. ¿Qué representa el ⬚? en el modelo?

_____

_____

d. Escribe una ecuación con los números y el signo del modelo.

_____ + ? = _____

e. ¿Cuántas uvas le dio a Sebastián su papá?

_____

Puedes usar modelos para mostrar el problema de la página anterior.

diagrama de barras   diagrama de cinta   enlace numérico

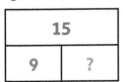 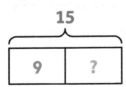 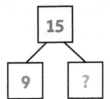

El [?] puede estar en diferentes partes de los modelos y las **ecuaciones**.

Halla el total.   Halla la diferencia.   Halla el inicio.

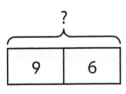 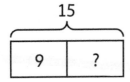

$9 + 6 = ?$	$9 + ? = 15$	$? + 6 = 15$
$? - 9 = 6$	$15 - 9 = ?$	$15 - ? = 6$
$? - 6 = 9$	$15 - ? = 9$	$15 - 6 = ?$

▶ **Reflexiona** **Trabaja con un compañero.**

1 **Conversa** Rolando tenía 11 canicas. Regaló algunas. Ahora le quedan 6. ¿Cómo podrías usar un modelo y una ecuación para hallar cuántas canicas regaló Rolando?

Escribe _____

_____

Aprende > Resolver problemas verbales de separar

Lee el problema. Luego explorarás diferentes maneras de resolver problemas verbales.

Hay 15 jugadores en un equipo. 7 son mujeres. El resto de los jugadores son varones. ¿Cuántos varones hay en el equipo?

▶ **Haz un modelo** **Puedes usar palabras en un diagrama de cinta.**

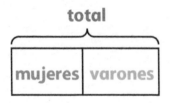

total

| mujeres | varones |

▶ **Comprende** **Puedes escribir lo que sabes y lo que no sabes.**

Total de jugadores: 15

Número de mujeres: 7

Número de varones: ?

▶ **Haz un dibujo** **Puedes hacer un dibujo.**

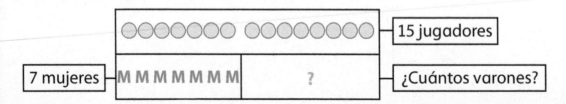

15 jugadores

7 mujeres — M M M M M M M | ? — ¿Cuántos varones?

Conéctalo todo Usa un modelo y una ecuación para resolver el problema.

2 ¿Qué número es el total? ¿Qué parte conoces? Completa el modelo de la derecha.

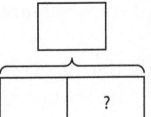

3 Escribe dos ecuaciones para el modelo.

_____ + ? = 15   15 − _____ = ?

4 Explica qué muestran las ecuaciones.

_____

_____

5 ¿Cuántos varones hay en el equipo? Di cómo lo sabes.

_____

_____

6 **Conversa** ¿Por qué se puede sumar o restar para resolver el problema de la página anterior?

Escribe _____

_____

_____

Pruébalo Prueba otro problema.

7 Jimena tiene 12 lápices. 7 son azules y el resto son blancos. ¿Cuántos lápices blancos tiene?
Escribe una ecuación para resolver.

_____

Aprende **Resolver problemas verbales de comparación**

Lee el problema. Luego explorarás diferentes maneras de resolver problemas verbales.

Una bolsa pequeña contiene 3 pelotas de futbol menos que una bolsa grande. La bolsa pequeña contiene 9 pelotas de futbol. ¿Cuántas pelotas de futbol contiene la bolsa grande?

▶ **Comprende** **Puedes escribir lo que sabes y lo que no.**

Sabes: bolsa pequeña = **9** pelotas

Sabes: bolsa pequeña + **3** = bolsa grande

Halla: ¿Cuántas pelotas hay en la bolsa grande?

▶ **Haz un dibujo** **Puedes hacer un dibujo.**

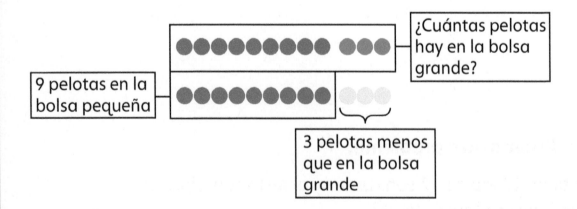

¿Cuántas pelotas hay en la bolsa grande?

9 pelotas en la bolsa pequeña

3 pelotas menos que en la bolsa grande

▶ **Conéctalo todo** **Escribe una ecuación para resolver el problema.**

8 La bolsa pequeña contiene _____ pelotas menos que la bolsa grande. Por lo tanto, la bolsa grande contiene _____ pelotas más que la bolsa pequeña.

9 ¿Cuántas pelotas contiene la bolsa pequeña? _____

10 Escribe una ecuación de suma para resolver el problema. ¿Qué muestra la ecuación?

_____

_____

_____

11 **Conversa** ¿Puedes escribir una ecuación de resta para hallar la respuesta a este problema? Explica.

Escribe _____

_____

_____

▶ **Pruébalo** **Prueba otro problema.**

12 Teo tiene 8 globos blancos y algunos globos rojos. Hay 2 globos blancos menos que globos rojos. ¿Cuántos globos rojos tiene Teo?

_____

_____

Practica ▷ **Resolver diferentes tipos de problemas verbales**

Estudia el ejemplo de abajo. Luego resuelve los problemas 13 a 15.

Ejemplo

Juana obtuvo 6 puntos más que Susana. Juana obtuvo 13 puntos. ¿Cuántos puntos obtuvo Susana?

Puedes hacer un dibujo.

Puntos de Juana: ● ● ● ● ● ● ● ● ● ● ● ● ●

Puntos de Susana: ● ● ● ● ● ● ● ⫽ ⫽ ⫽ ⫽ ⫽ ⫽

Puntos de Juana − 6 = puntos de Susana.

13 − 6 = 7

Respuesta ___Susana obtuvo 7 puntos.___

---

13 Hay 14 perros en el parque para perros.
Hay 6 perros negros. El resto son marrones.
¿Cuántos perros marrones hay en el parque para perros?

Muestra tu trabajo.

¿Qué sabes? ¿Qué intentas averiguar?

Respuesta _____

14 Camila tenía 12 calcomanías. Dio algunas a su hermana. Ahora a Camila le quedan 6 calcomanías. ¿Cuántas calcomanías dio Camila a su hermana?

Muestra tu trabajo.

Puedes sumar o restar para hallar la respuesta.

Respuesta _____

15 Julio tiene 7 peces. Tiene 4 peces menos que Ana. ¿Cuántos peces tiene Ana?

A 3

B 4

C 11

D 12

¿Quién tiene más peces?

Débora eligió **A** como respuesta. Esta respuesta es incorrecta. ¿Cómo obtuvo Débora su respuesta?

_____

_____

_____

Practica ▸ **Resolver diferentes tipos de problemas verbales**

Resuelve los problemas.

1 Ricardo tiene 13 canicas. 4 canicas son azules. El resto son blancas. ¿Cuántas canicas blancas hay?

Completa los espacios en blanco. Luego encierra en un círculo la letra de cada ecuación que pueda usarse para resolver el problema.

A $13 - 4 =$ _____   **C** $13 + 4 =$ _____

B $13 -$ _____ $= 4$ **D** $4 +$ _____ $= 13$

2 Hay 5 vacas en el corral. Hay 8 vacas menos en el corral que en el campo. ¿Cuántos vacas hay en el campo? Encierra en un círculo la respuesta correcta.

A 3   **C** 12

B 8   **D** 13

3 Julio tiene 9 marcadores. Tiene 5 marcadores más que lápices. ¿Cuántos lápices tiene Julio?

Encierra en un círculo *Sí* o *No* en cada ecuación para indicar si puede usarse para resolver el problema.

a. $9 - 5 = 4$ Sí   No

b. $9 + 5 = 14$ Sí   No

c. $14 - 5 = 9$ Sí   No

d. $5 + 4 = 9$ Sí   No

4 Había 4 niños sobre un tapete. Se les sumaron más niños. Ahora hay 10 niños sobre el tapete. ¿Cuántos niños se sumaron a los primeros 4 niños? Encierra en un círculo la respuesta correcta.

A 4   C 6

B 5   D 14

5 Escribe un problema que se pueda resolver con el diagrama de cinta de la derecha.

8
6	?

_____

_____

_____

6 Muestra cómo resolver el problema que escribiste en el problema 5. Luego pide a un compañero que resuelva el problema de otra manera. Muestra cómo lo resolvió tu compañero.

_____

_____

_____

_____

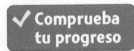 **Comprueba tu progreso** **Ahora puedes resolver problemas de un paso. Incluye esto en la tabla de progreso de la página 1.**

Piénsalo bien

¿Cómo puedes formar una decena para sumar y restar mentalmente?

Sabes cómo descomponer números en decenas y unidades.

Puedes descomponer los números para formar una decena cuando sumas o restas mentalmente.

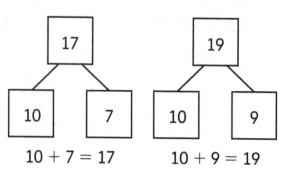

$$10 + 7 = 17 \qquad 10 + 9 = 19$$

Piensa Forma una decena para sumar.

Suma 9 + 7.

Piensa en 9 fichas rojas y 7 fichas azules en dos marcos de 10.

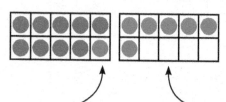

La primera ficha azul forma una decena.

Hay 6 fichas azules más en el segundo marco de 10.

Suma 9 + 7.
Piensa en 7 como 1 + 6.
Suma 9 y 1 para formar 10.

$9 + 7$
$9 + 1 + 6$
$10 + 6$

🖊 Escribe los totales.

$$10 + 6 = \underline{\qquad} \qquad 9 + 7 = \underline{\qquad}$$

Piensa Forma una decena para restar.

Resta $14 - 6$.

Comienza con 14 fichas.

Cuando tengo 14, tengo 10 y 4 más.

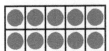 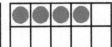

Coloca una X sobre las fichas en el segundo marco de 10.

¿Cuántas fichas restas para obtener 10? _____

¿Cuántas fichas más necesitan una X para restar

un total de 6? _____ Coloca una X sobre este número de fichas en el primer marco de 10.

Usa los marcos de 10 para completar cada ecuación.

$14 -$ _____ $= 10$

$10 -$ _____ $= 8$

Restar 6 es igual que restar 4 y luego restar 2 más. Por lo tanto, $14 - 6 = 8$.

▶ Reflexiona Trabaja con un compañero.

1 **Conversa** ¿Cómo puedes formar una decena como ayuda para sumar $8 + 7$?

Escribe _____

_____

_____

Piensa en **La estrategia de formar una decena**

Explora la idea Usa rectas numéricas vacías para sumar y restar.

Responde los problemas 2 a 4 como ayuda para pensar en 8 + 8 = 16.

2 Completa las ecuaciones.

$8 +$ _____ $= 10$ $10 +$ _____ $= 16$

3 Usa tus respuestas del problema 2 para completar los recuadros de la recta numérica vacía.

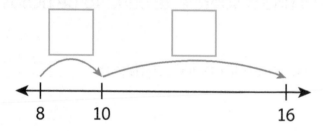

4 Completa la ecuación. $8 + 8 = 10 +$ _____

Responde los problemas 5 a 7 como ayuda para pensar en 13 − 7 = 6.

5 Completa los recuadros.

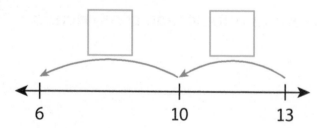

6 Usa la recta numérica vacía para completar las ecuaciones.

$13 -$ _____ $= 10$ $10 -$ _____ $= 6$

7 Completa la ecuación. $13 -$ _____ $= 6$

¡Vamos a conversar!
Trabaja con un compañero.

8 Mira la recta numérica vacía del problema 3.
¿Por qué se suma 2 a 8?

_____

¿Por qué después se le suma 6?

_____

9 Mira la recta numérica vacía del problema 5.
¿Por qué se le resta primero 3 a 13?

_____

¿Por qué después se resta 4?

_____

_____

▶ **Prueba de otro modo** **Usa un modelo escalonado.**

Completa los espacios en blanco para sumar o restar.

10 Suma hacia arriba para hallar
8 + 6.

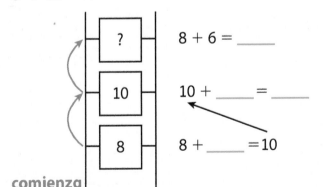

8 + 6 = _____

10 + _____ = _____

8 + _____ = 10

11 Resta hacia abajo para hallar
14 − 6.

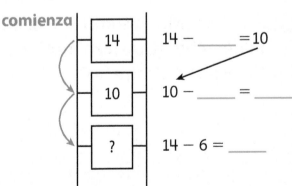

14 − _____ = 10

10 − _____ = _____

14 − 6 = _____

Conecta Ideas sobre formar una decena

Comenta estas preguntas con la clase. Luego escribe tus respuestas.

12 Demuestra Muestra cómo formar una decena para hallar $6 + 9$. Explica tu razonamiento.

_____

_____

_____

13 Compara Greta y César sumaron cada uno $5 + 7$ para formar una decena.

Greta	$5 + 7$	César	$5 + 7$
Descompone 5.	$2 + 3$	Descompone 7.	$5 + 2$
	$7 + 3 = 10$		$5 + 5 = 10$
Suma 2 más.	$10 + 2 = 12$	Suma 2 más.	$10 + 2 = 12$
	$7 + 5 = 12$		$7 + 5 = 12$

¿Ambos formaron 10 correctamente? Explica.

_____

_____

_____

14 Analiza María sumó $9 + 8$. Mira su trabajo a la derecha. ¿Qué hizo mal? ¿Cuál es la respuesta correcta?

$$9 + 1 = 10$$
$$10 + 8 = 18$$
$$9 + 8 = 18$$

_____

_____

_____

Aplica ▸ Ideas sobre formar una decena

Combina todo   **Usa lo que aprendiste para completar esta tarea.**

15   Piensa en formar una decena para sumar o restar.

Parte A   Elige dos números que puedas sumar para formar una decena. Escribe una ecuación de suma con tus números.

_____ + _____ = ?

Dibuja un modelo para mostrar cómo resolver tu problema de suma formando una decena. Luego resuelve tu problema de suma.

_____ + _____ = _____

Parte B   Elige dos números que puedas restar para formar una decena. Escribe una ecuación de resta con tus números.

_____ − _____ = ?

Dibuja un modelo que podrías usar para resolver tu ecuación de resta formando una decena. Luego resuelve tu problema de resta.

_____ − _____ = _____

Parte C   ¿Cómo formar una decena te ayuda a sumar o restar mentalmente?

_____

_____

_____

Comprende Números pares e impares

2.OA.C.3

 **Piénsalo bien**

¿Cuáles son los números pares e impares?

Puedes separar algunos números en grupos de 2. Mira estas 8 medias.

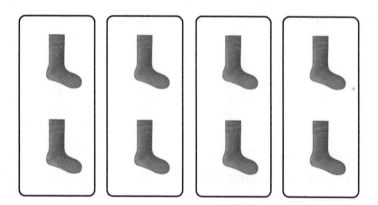

Piensa A veces hay un sobrante cuando formas grupos de 2.

Mira estos 7 zapatos.

 Encierra en un círculo grupos de 2.

 ¿Cuántos zapatos NO están en un grupo de 2? _____

Piensa Forma grupos de 2 para decir si un número es par o impar.

Un número es **par** si formas grupos de 2 y no tienes sobrantes.

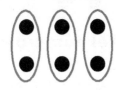

No hay sobrantes, por lo tanto 6 es par.

Un número es **impar** si formas grupos de 2 y tienes 1 sobrante.

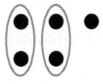

Hay 1 sobrante, por lo tanto 5 es impar.

Piensa Prueba formar 2 grupos iguales para decir si un número es par o impar.

Un número es **par** si puedes formar 2 grupos iguales.

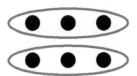

Cada grupo tiene el mismo número, por lo tanto 6 es par.

Un número es **impar** si no puedes formar 2 grupos iguales.

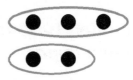

Cada grupo tiene un número distinto, por lo tanto 5 es impar.

▶ Reflexiona Trabaja con un compañero.

1 ¿Es 9 un número par o impar? ¿Por qué?

_____

_____

Piensa en Identificar números pares e impares

🔍 **Explora la idea** Di si un número es *par* o *impar*.

Encierra en un círculo grupos de 2. Luego di si el número es *par* o *impar*.

2

15 es _____.

3

12 es _____.

Muestra si puedes formar 2 grupos iguales. Luego di si el número es *par* o *impar*.

4

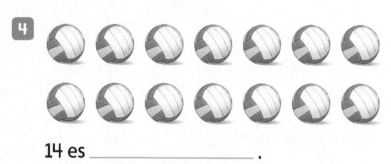

14 es _____.

5

11 es _____.

💬 **¡Vamos a conversar!**
Trabaja con un compañero.

6 Escribe una suma de dobles para 8.

_____ + _____ = 8

7 Escribe una suma de dobles + 1 para 9.

_____ + _____ + 1 = 9

8 Escribe las siguientes sumas de dobles o sumas de dobles + 1.

_____ + _____ = 10   _____ + _____ + 1 = 7

_____ + _____ = 12   _____ + _____ + 1 = 15

9 ¿Las sumas de dobles son un número par o impar? ¿Las sumas de dobles + 1 son un número par o impar? Explica.

_____

_____

_____

▶ **Prueba de otro modo** **Cuenta de 2 en 2 para hallar números pares.**

Puedes contar de 2 en 2 para hallar números pares.

10 Cuenta de 2 en 2 para completar esta lista. Detente en el 20.

2, 4, 6, _____

11 Los números de tu lista del problema 10 son pares. Los números menores que 20 que no están en tu lista son impares.

Encierra en un círculo los números pares. Subraya los impares.

11   14   16   17

Conecta ▸ **Ideas sobre números pares e impares**

Comenta estas preguntas con la clase. Luego escribe tus respuestas.

12 **Evalúa** Pedro mira este dibujo de 14 manzanas. Dice que 14 es un número impar. ¿Estás de acuerdo? Explica.

_____

_____

_____

13 **Analiza** La clase de la maestra Lagos esta agrupada en parejas. Hay 9 parejas de estudiantes. También hay 1 estudiante en pareja con la maestra Lagos. ¿Cuántos estudiantes hay en la clase? ¿El número es par o impar? Explica.

_____

_____

_____

_____

14 **Explica** Mónica dice que cuando suma dobles, el total siempre es par. No importa si los dobles son números impares o pares. ¿Estás de acuerdo? Explica.

_____

_____

_____

_____

Ideas sobre números pares e impares

Combina todo Usa lo que aprendiste para completar esta tarea.

15 Usa esta tabla para responder las preguntas.

1	2	3	4	5	6	7	8	9	10
11	12	13	14	15	16	17	18	19	20

Parte A Colorea de rojo los recuadros con números impares. Colorea de azul los recuadros con números pares. ¿Qué patrones ves en los números?

_____

_____

Parte B Mira el 15. ¿Es impar o par el dígito de las unidades? ¿15 es impar o par?

_____

Parte C Mira el 16. ¿Es impar o par el dígito de las unidades? ¿16 es impar o par?

_____

Parte D Ana dice que si un número de dos dígitos tiene un número par en el lugar de las unidades, el número también es par. ¿Tiene razón? ¿Por qué?

_____

_____

_____

🔄 Usa lo que sabes

Repasa la suma de 3 números de un dígito.

El equipo de Roberto tiene estantes para sus gorras. ¿Cuántas gorras hay en total?

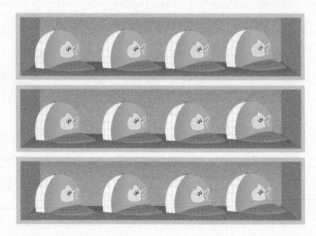

a. ¿Tiene cada estante el mismo número de gorras? _____

b. ¿Cuántas gorras hay en cada estante? _____

c. ¿Cuántos estantes hay? _____

d. Mira las líneas de la derecha. Cada línea muestra un estante. Usa números para escribir cuántas gorras hay en cada estante.

_____

_____

_____

e. Usa tu respuesta del problema d. Escribe una ecuación para mostrar el número total de gorras.

_____

Las gorras que están en los estantes de la página anterior muestran una **matriz**. Una matriz tiene **filas** y **columnas**. Esta es la misma matriz hecha con puntos en vez de gorras.

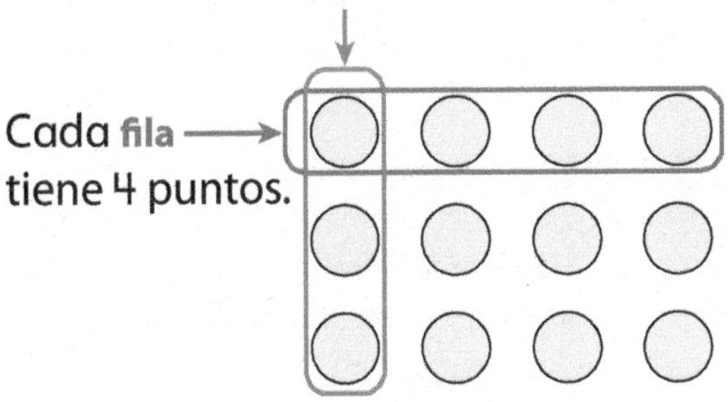

Cada **columna** tiene 3 puntos.

Cada **fila** tiene 4 puntos.

En una matriz:

- cada fila tiene el mismo número de objetos.

- cada columna tiene el mismo número de objetos.

▶ **Reflexiona** **Trabaja con un compañero.**

1 **Conversa** Camila hace una matriz con 10 estampillas. Su matriz tiene 2 filas. ¿Cuántas estampillas hay en cada columna? Explica cómo lo sabes.

Escribe _____

_____

_____

Aprende ▸ **Sumar con matrices**

Lee el problema. Luego verás maneras de usar una matriz.

> Miguel pone algunas calcomanías en una matriz. Cada fila
> tiene 5 calcomanías. Cada columna tiene 4 calcomanías.
> ¿Cuántas calcomanías hay en total?

▶ **Haz un dibujo** Dibuja una matriz.

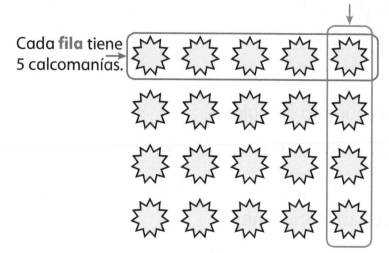

Cada **columna**
tiene 4 calcomanías.

Cada **fila** tiene
5 calcomanías.

▶ **Haz un modelo** Usa las filas de la matriz para escribir una ecuación.

Suma el número de calcomanías que hay en cada fila.
Cada fila tiene 5 calcomanías ⟶ $5 + 5 + 5 + 5 = ?$

▶ **Haz un modelo** Usa las filas de la matriz para contar salteado.

Hay 5 calcomanías en cada fila. Cuenta de 5 en 5 ⟶ 5, 10, 15, 20.

Conéctalo todo Usa la matriz y los modelos para resolver el problema.

2 Mira el primer *Haz un modelo* de la página anterior. ¿Por qué 5 está escrito cuatro veces en la ecuación?

_____

3 Escribe una ecuación para hallar el número total de calcomanías usando las columnas.

_____

4 Mira el segundo *Haz un modelo* de la página anterior. ¿Por qué cuentas salteado de 5 en 5?

_____

5 Conversa **Trabaja con un compañero.**

¿Necesitas mirar la matriz de *Haz un dibujo* para resolver el problema de la página anterior?

Escribe _____

_____

_____

Pruébalo Prueba otro problema.

6 Escribe dos ecuaciones que puedas usar para hallar el número total de figuras que hay en esta matriz.

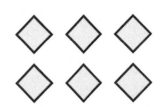

_____

_____

Practica ▶ **Sumar con matrices**

Estudia el modelo de abajo. Luego resuelve los problemas 7 a 9.

Ejemplo

En una caja hay 4 filas de crayones. En cada fila hay 4 crayones. ¿Cuántos crayones hay en la caja?

Puedes mostrar tu trabajo usando una matriz.

4 filas de 4

4 columnas de 4

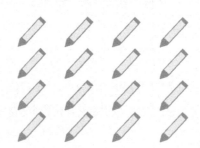

4 + 4 + 4 + 4

8 + 8 = 16

Respuesta __16 crayones__

---

7 En un juego, los jugadores colocan piezas en 3 columnas. En cada columna hay 5 piezas. ¿Cuántas piezas hay en las tres columnas? Dibuja una matriz como parte de tu respuesta.

Muestra tu trabajo.

¿Puedes contar salteado para hallar la respuesta?

Respuesta _____

8 En una caja hay 2 filas de latas de sopa. En cada fila hay 3 latas. ¿Cuántas latas de sopa hay en la caja? Dibuja una matriz como parte de tu respuesta.

Muestra tu trabajo.

Puedes sumar los números de cada fila o los números de cada columna.

Respuesta _____

9 Algunos estudiantes se forman en 2 filas para jugar a la pelota. En cada fila hay 8 estudiantes. ¿Cuántos estudiantes juegan a la pelota?

A 8

B 10

C 16

D 18

¿Con qué número puedes contar salteado para hallar la respuesta?

Vicente eligió **B** como respuesta. Esta respuesta es incorrecta. ¿Cómo obtuvo Vicente su respuesta?

_____

_____

_____

Practica ▶ Sumar con matrices

Resuelve los problemas.

1 ¿Qué ecuación muestra el número total de corazones que hay en esta matriz? Encierra en un círculo todas las respuestas correctas.

A $6 + 6 + 6 = 18$

B $3 + 3 + 3 + 3 + 3 + 3 = 18$

C $6 + 3 = 9$

D $3 + 3 + 3 = 9$

2 ¿Qué suma de dobles puedes usar para hallar el número total de figuras que hay en esta matriz? Encierra en un círculo la respuesta correcta.

A $5 + 2 = 7$

B $5 + 5 = 10$

C $2 + 2 = 4$

D $10 + 10 = 20$

3 Olga dibuja una matriz de puntos. La matriz tiene 3 columnas. En la primera columna hay 4 puntos. ¿Qué ecuación puedes usar para hallar el número total de puntos? Encierra en un círculo todas las respuestas correctas.

A $3 + 3 + 3 = ?$

B $3 + 3 + 3 + 3 = ?$

C $4 + 4 + 4 = ?$

D $4 + 4 + 4 + 4 = ?$

4 Daniela hace una matriz con estas reglas.

- El número de cada fila es diferente del número de cada columna.

- Hay más de una fila y más de una columna.

Di si cada número podría ser el número de objetos que hay en la matriz de Daniela. Encierra en un círculo *Sí* o *No* para cada número.

a. 6   Sí   No

b. 17   Sí   No

c. 9   Sí   No

d. 15   Sí   No

5 Dibuja una matriz que tenga 5 filas. Coloca 6 objetos en cada fila. Muestra cómo usar sumas de dobles para hallar el número total de objetos.

6 Muestra o explica cómo puedes contar salteado para verificar tu respuesta al problema 5.

_____

_____

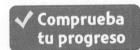
✓ Comprueba tu progreso   **Ahora puedes resolver problemas usando una matriz. Incluye esto en la tabla de progreso de la página 1.**

Usa lo que sabes

Sabes resolver problemas verbales de un paso.

Eva tenía 3 banderines con rayas y 3 banderines con puntos. Luego hizo 7 banderines blancos. ¿Cuántos banderines tiene Eva ahora?

a. ¿Cuántos banderines con rayas y con puntos hay? Completa el modelo de la derecha.

b. Ahora escribe una ecuación. ¿Cuántos banderines con rayas y con puntos hay en total?

_____ + _____ = _____

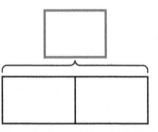

banderines banderines
con rayas   con puntos

c. ¿Cuántos banderines blancos hay? _____

d. Suma los banderines blancos al total del problema b. Completa el modelo de la derecha para mostrar esto.

e. Ahora escribe una ecuación. ¿Cuántos banderines hay en total?

_____ + _____ = _____

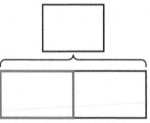

banderines banderines
con rayas y   blancos
con puntos

El problema de la página anterior tiene dos pasos.
Primero sumaste los banderines con rayas y punteados.
Luego sumaste los banderines blancos al total.

Paso 1: $3 + 3 = 6$ **Paso 2:** $6 + 7 = 13$

Ahora mira este problema de dos pasos.

Juan tenía 3 marcadores rosados y 7 marcadores
verdes. Perdió 2 marcadores. ¿Cuántos marcadores
tiene ahora?

Paso 1: Suma para hallar el número total de marcadores que tenía Juan. $3 + 7 = 10$

Paso 2: Resta el número de marcadores que perdió para hallar cuántos tiene ahora. $10 - 2 = 8$

 Juan tiene _____ marcadores ahora.

▶ **Reflexiona** **Trabaja con un compañero.**

1 **Conversa** Sara tenía 17 uvas. Dio 8 uvas a su hermana. Luego
dio 3 uvas a su amiga. ¿Sumarías o restarías para hallar cuántas
uvas tiene Sara ahora?

Escribe _____

_____

_____

Aprende Maneras de resolver problemas de dos pasos

Lee el problema. Luego harás un modelo de un problema de dos pasos.

> Margarita tenía 8 peras en su canasta. Luego recogió 6 peras más. Después regaló 5 peras a sus amigos. ¿Cuántas peras hay en la canasta ahora?

▶ **Haz un dibujo** **Puedes hacer un dibujo.**

Paso 1:   8 peras   +   6 peras más

Paso 2:   14 peras − 5 peras regaladas

▶ **Haz un modelo** **Puedes hacer un diagrama de cinta.**

Paso 1:

8	6

14

Paso 2:   14

5	?

Conéctalo todo Escribe ecuaciones.

2 ¿Qué sucede en el paso 1 del problema?

_____

3 Mira *Haz un dibujo*. Escribe una ecuación para el paso 1.

_____ + _____ = _____

4 ¿Qué sucede en el paso 2 del problema?

_____

5 Mira *Haz un modelo*. Escribe una ecuación para el paso 2.

_____ − _____ = _____

6 Conversa **Trabaja con un compañero.**

¿En qué se diferencia un problema de dos pasos de un problema de un paso?

Escribe _____

_____

_____

▶ Pruébalo Prueba otro problema.

7 Había 12 niños en la piscina. Luego 3 se fueron a casa. Después se metieron 6 niños más en la piscina. ¿Cuántos niños hay en la piscina ahora? Muestra tu trabajo.

_____

_____

Aprende

Más maneras de resolver problemas de dos pasos

Lee el problema. Luego harás un modelo de un problema de dos pasos.

> Había 16 monedas de 25¢ en un frasco. Ramón tomó 6 monedas de 25¢. Luego su papá agregó más monedas de 25¢ al frasco. Ahora hay 18 monedas de 25¢ en el frasco. ¿Cuántas monedas puso su papá?

▶ **Haz un dibujo** Puedes hacer un dibujo.

Paso 1: Había 16 monedas de 25¢ en un frasco. Ramón sacó 6 monedas de 25¢.

Paso 2: Luego su papá agregó más monedas de 25¢ al frasco. Ahora hay 18 monedas de 25¢ en el frasco.

▶ **Haz un modelo** Puedes usar rectas numéricas vacías.

Paso 1: Había 16 monedas de 25¢ en el frasco. Ramón sacó 6 monedas de 25¢.

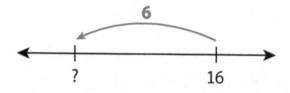

Paso 2: Luego su papá agregó más monedas de 25¢ al frasco. Ahora hay 18 monedas de 25¢ en el frasco.

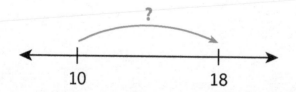

○ ○

▶ **Conéctalo todo** **Comprende qué significan los modelos.**

8 ¿Qué sucede en el paso 1 del problema?

_____

9 Mira la recta numérica del paso 1 de *Haz un modelo.*

Completa la ecuación. $16 - 6 =$ _____

10 ¿Qué sucede en el paso 2 del problema?

_____

11 Escribe una ecuación para el paso 2.

_____ $+ ? =$ _____

12 ¿Cuántas monedas de 25¢ puso su papá en el frasco? _____

13 **Conversa** **Trabaja con un compañero.**

Explica cómo resolver un problema de dos pasos.

Escribe _____

_____

_____

▶ **Pruébalo** **Prueba otro problema.**

14 Gustavo tenía 7 conchas de mar. Luego encontró 4 más. Después se rompieron algunas conchas de mar. Ahora Gustavo tiene 9 conchas de mar. ¿Cuántas conchas de mar se rompieron? Muestra tu trabajo.

_____

_____

Practica ▶ Resolver problemas verbales de dos pasos

Estudia el modelo de abajo. Luego resuelve los problemas 15 a 17.

Ejemplo

Ema tenía 12 tarjetas y Esteban 0. Esteban tomó algunas de las tarjetas de Ema. Ahora Ema tiene 9 tarjetas. ¿Cuántas tarjetas más tiene Ema que Esteban?

Mira cómo puedes mostrar tu trabajo.

Ema comienza con 12 tarjetas y termina con 9.

$$12 - ? = 9 \qquad 12 - 3 = 9$$

Por lo tanto, Esteban tiene 3 tarjetas.

12	
9	?

Ema tiene 9 tarjetas. Esteban tiene 3 tarjetas.

$$9 - 3 = ? \qquad 9 - 3 = 6$$

9	
3	?

Respuesta Ema tiene 6 tarjetas más que Esteban.

---

15 Había 6 juguetes en una caja. Francisco sacó 2 juguetes de la caja. Luego regresó 8 juguetes a la caja. ¿Cuántos juguetes hay en la caja ahora?

Muestra tu trabajo.

Prueba representar el problema.

Respuesta _____

16 Roberto tenía 16 crayones. Dio 8 crayones a Tomás. Gabriela dio algunos crayones a Roberto. Ahora Roberto tiene 17 crayones. ¿Cuántos crayones dio Gabriela a Roberto?

¿Cuántos crayones tenía Roberto después de regalar algunos? ¿Cuántos tiene ahora?

Muestra tu trabajo.

Respuesta _____

17 Belén recibió 6 dólares de su mamá y 4 dólares de su papá. Quiere comprar un juego que cuesta 18 dólares. ¿Cuántos dólares más necesita Belén?

A 2

B 8

¿Cómo puedes hallar cuánto dinero tiene Belén?

C 10

D 14

Alicia eligió **C** como respuesta. Esta respuesta es incorrecta. ¿Cómo obtuvo Alicia su respuesta?

_____

_____

_____

Practica ▶ **Resolver problemas verbales de dos pasos**

Resuelve los problemas.

1 Carina recogió 11 manzanas grandes y 7 manzanas pequeñas. Daniel recogió 5 manzanas menos que Carina. ¿Cuántas manzanas recogió Daniel?
Encierra en un círculo la respuesta correcta.

A 18

B 6

C 13

D 2

2 Había 15 pájaros en una rama. Luego 6 pájaros volaron. Después 3 pájaros se posaron en la rama. ¿Cuántos pájaros hay en la rama ahora?

Completa los espacios en blanco. Luego encierra en un círculo todas las respuestas que muestran uno de los pasos para la resolución del problema.

A $15 + 6 =$ _____

B $15 - 6 =$ _____

C $9 - 3 =$ _____

D $9 + 3 =$ _____

3 Ana tiene 10 cuentas. Berta tiene 3 cuentas más que Ana. Berta tiene 7 cuentas pequeñas. El resto de sus cuentas son grandes. ¿Cuántas cuentas grandes tiene Berta? Encierra en un círculo la respuesta correcta.

A 20

B 13

C 6

D 0

4 Luis tenía 8 bloques cuadrados y 9 bloques triangulares. Juan tomó algunos de los bloques de Luis. Luego a Luis le quedaban 10 bloques. ¿Cuántos bloques tomó Juan?
Encierra en un círculo la respuesta correcta.

A 2 **C** 17

B 7 **D** 27

5 Una tarjeta de estrella vale 10 puntos. Una tarjeta de luna vale 4 puntos menos. ¿Cuántos puntos valen una tarjeta de estrella y una tarjeta de luna en total?

Muestra tu trabajo.

_____

6 Escribe un problema verbal de dos pasos en el que se use la suma y la resta. Luego resuelve el problema.

Muestra tu trabajo.

_____

_____

✓ Comprueba tu progreso **Ahora puedes resolver problemas de dos pasos. Incluye esto en la tabla de progreso de la página 1.**

Unidad 1
MATEMÁTICAS
EN ACCIÓN

👥 **Introducción**

Usa grupos iguales y suma

EPM1 Dan sentido
a los problemas y
perseveran en su
resolución.

Estudia un problema y su solución

Lee el siguiente problema sobre suma para resolver problemas de la vida real. Luego mira la solución de Beau al problema.

Motores de robot

Beau quiere construir un estante para colocar sus 20 motores de robot. Mira su plan.

Plan para el estante

• Usar más de 1 estante.

• Poner el mismo número de motores en cada estante.

¿Cuántos estantes debe construir Beau? ¿Cuántos motores debe colocar en cada estante?

Muestra cómo la solución de Beau corresponde a la lista.

🖊 **Lista de chequeo para la solución de problemas**

☐ Di lo que se sabe.

☐ Di lo que pide el problema.

☐ Muestra todo tu trabajo.

☐ Muestra que la solución tiene sentido.

a. Haz un círculo alrededor de lo que se sabe.

b. Subraya las cosas que hace falta averiguar.

c. Encierra en un cuadro lo que haces para resolver el problema.

d. Pon una marca ✓ junto a la parte que muestra que la solución tiene sentido.

La solución de Beau

Hola, soy Beau. Así fue como resolví este problema.

▷ **Sé** que tengo que colocar 20 motores en más de 1 estante. Cada estante tiene el mismo número de motores.

▷ **Tengo que hallar** cuántos motores hay que colocar en cada estante.

▷ **Puedo contar salteado** para sumar el mismo número para intentar obtener 20.

> De 2 en 2: 2, 4, 6, 8, 10, 12, 14, 16, 18, **20**
>
> De 3 en 3: 3, 6, 9, 12, 15, 18, 21, 24
>
> De 5 en 5: 5, 10, 15, **20**

Contar de 3 en 3 no funciona, pero de 2 en 2 y de 5 en 5, sí.

▷ **Intentaré colocar 5** motores en cada estante.

▷ **Puedo hacer un dibujo** de 5 motores en 1 estante.

Luego puedo dibujar más estantes con 5 motores en cada uno.

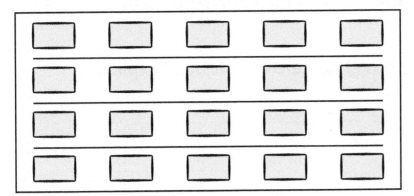

Dibujé 4 estantes y obtuve 20 motores.

▷ **Necesito** 4 estantes.

▷ **Sumo** todas las filas para comprobar.
5 + 5 + 5 + 5 = 20.

▷ **Uso 4 estantes. Coloco 5 motores en cada estante.**

Hay muchas maneras de resolver los problemas. Piensa en cómo podrías resolver el problema "Motores de robot" de una manera distinta.

Motores de robot

Beau quiere construir un estante para colcocar sus 20 motores de robot. Mira su plan.

Plan para el estante

- Usar más de 1 estante.

- Poner el mismo número de motores en cada estante.

¿Cuántos estantes debe construir Beau? ¿Cuántos motores debe colocar en cada estante?

▶ **Planea** Responde la siguiente pregunta para empezar a pensar en un plan.

¿Qué número puedes usar para el número de estantes? Explica.

_____

_____

_____

_____

► **Resuelve** Halla una solución distinta al problema de "Motores de robot". Muestra todo tu trabajo en una hoja de papel aparte.

Tal vez quieras usar las sugerencias de abajo para empezar.

Sugerencias para resolver problemas

• **Modelos**

Lista de chequeo
Asegúrate de...

☐ decir lo que se sabe.

☐ decir lo que pide el problema.

☐ mostrar todo tu trabajo.

☐ mostrar que la solución tiene sentido.

• **Banco de palabras**

contar salteado	sumar	total
matriz	fila	columna

• **Oraciones modelo**

• Puedo usar dos _____

• En cada estante caben _____ motores.

► **Reflexiona**

Usa las prácticas de las matemáticas Comenta la siguiente pregunta con un compañero.

• **Usa un modelo** ¿Qué ecuaciones de suma puedes usar para comprobar tu respuesta? ¿Qué te muestran?

Comenta ▶ Modelos y estrategias

**Resuelve el problema en una hoja de papel aparte.
Hay distintas maneras de resolverlo.**

Colección de rocas

Beau clasifica algunas de las rocas de su colección. Coloca las rocas en las 4 bandejas de abajo.

En dos bandejas hay un número par de rocas.
En dos bandejas hay un número impar de rocas.
En cada bandeja caben 20 o menos rocas.

número par

número impar

número par

número impar

¿De qué maneras puede Beau colocar las rocas en estas bandejas?

▶ Planea y resuelve Halla una solución al problema de la "Colección de rocas".

Usa una hoja de papel aparte.

- Escribe dos números impares distintos y dos números pares distintos.
- Muestra cómo sabes que cada número es par o impar.

Tal vez quieras usar las sugerencias de abajo para empezar.

Sugerencias para resolver problemas

- **Preguntas**

  - ¿Qué números puedo elegir?

  - ¿Qué números forman grupos iguales?

- **Banco de palabras**

  | número impar | grupos iguales | dobles |
  | número par | sobrante | dobles + 1 |

- **Oraciones modelo**

  - Puedo formar grupos iguales con _____

  - Hay _____ en cada grupo.

  - Cuento salteado de _____

Lista de chequeo

Asegúrate de...

☐ decir lo que se sabe.

☐ decir lo que pide el problema.

☐ mostrar todo tu trabajo.

☐ mostrar que la solución tiene sentido.

▶ Reflexiona

Usa las prácticas de las matemáticas Comenta la siguiente pregunta con un compañero.

- **Usa un modelo** ¿Cómo usarías dibujos para demostrar que tus respuestas tienen sentido?

Resuelve el problema en una hoja de papel aparte.

Tuercas y tornillos

Beau tiene 18 tornillos. Tiene 3 cajas para colocarlos.
Quiere colocar al menos 3 tornillos en cada caja.

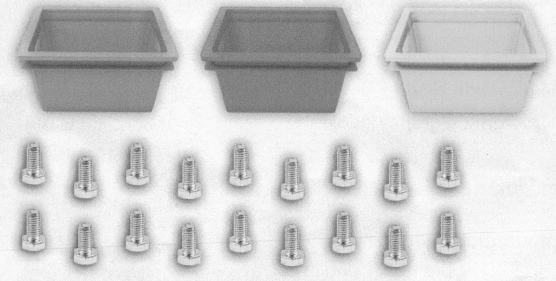

¿Cuántos tornillos puede colocar Beau en cada caja?

▶ **Resuelve** **Muestra una manera en la que Beau puede colocar los tornillos en las cajas.**

• Haz un dibujo.
• Di cuántos tornillos hay que colocar en cada caja.
• Explica por qué tu respuesta tiene sentido.

▶ **Reflexiona**

Usa las prácticas de las matemáticas Comenta la
siguiente pregunta con un compañero.

• **Entiende los problemas** ¿Cómo decidiste cuántos tornillos
colocar en cada caja?

Proyecto de ciencias

Beau tiene 17 frascos. Necesita un número par de frascos para un proyecto de ciencias. Colocará el resto de los frascos en un estante.

¿Cuántos frascos puede usar Beau para su proyecto de ciencias?

¿Cuántos quedarán para colocarlos en el estante?

▶ **Resuelve** **Di cuántos frascos podría usar Beau y cuántos quedarán por colocar en el estante.**

• Haz un dibujo.
• Encierra en un círculo un número par de frascos que puede usar Beau.
• Halla el número de frascos que Beau colocará en el estante.
• Muestra que el número total de frascos es 17.

▶ **Reflexiona**

Usa las prácticas de las matemáticas Comenta la siguiente pregunta con un compañero.

• **Comprueba tu respuesta** ¿Qué hiciste para comprobar que tu respuesta tiene sentido?

Resuelve los problemas.

1 Mario coloca sus carritos en filas iguales.

Encierra en un círculo *Sí* o *No* para decir si la ecuación puede usarse para hallar el número total de carritos.

a. $4 + 5 + 4 + 5 =$?   Sí   No

b. $5 + 5 + 5 + 5 + 5 =$?   Sí   No

c. $4 + 4 + 4 + 4 + 4 =$?   Sí   No

d. $5 + 5 + 5 + 5 =$?   Sí   No

2 Lidia anotó 9 goles en esta temporada. Regina anotó 3 goles menos que Lidia. ¿Qué ecuación puede usarse para hallar el número de goles que anotó Regina? Encierra en un círculo todas las respuestas correctas.

A $9 - 3 = 6$

B $12 - 3 = 9$

C $3 + 6 = 9$

D $9 + 3 = 12$

3 Completa los recuadros para mostrar dos maneras de hallar 8 + 6.

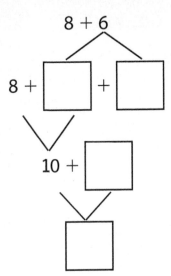

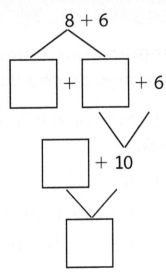

4 Escribe cada número en el recuadro correcto de abajo.

12   13   15   18

Números impares	Números pares

5 Escribe un problema verbal que pueda resolverse con este diagrama de barras. Luego resuelve tu problema verbal.

7	
?	2

_____

_____

_____

Prueba de rendimiento

Responde las preguntas. Muestra todo tu trabajo en una hoja de papel aparte.

En tu escuela te pidieron que leyeras 20 libros durante el verano.

- Debes leer 6 libros sobre animales.

- Debes leer 3 libros sobre personas.

- El resto de los libros deben tratar sobre lugares o pasatiempos.

- Debes leer al menos 1 libro sobre lugares y 1 libro sobre pasatiempos.

Haz un plan para los libros que vas a leer durante el verano.

- Di cuántos libros sobre lugares vas a leer.

- Di cuántos libros sobre pasatiempos vas a leer.

- Explica por qué tus números funcionan.

Lista de chequeo

- ☐ ¿Sumaste o restaste correctamente?
- ☐ ¿Comprobaste tus respuestas?
- ☐ ¿Explicaste tus respuestas?

Reflexiona

Construye un argumento ¿Cómo verificaste que tus números funcionan?

Unidad 2
Números y operaciones en base diez

Conexión a la vida real ¿Alguna vez contaste así: 10, 20, 30, 40, 50, . . . ? Contar salteado de 10 en 10 es una manera rápida y sencilla de contar hasta 100. También puedes contar salteado de 100 en 100: 100, 200, 300, 400 y así sucesivamente. Contar salteado de 10 en 10 y de 100 en 100 te ayudará a sumar y restar números de dos y tres dígitos.

Aprenderemos a sumar y restar números de dos y tres dígitos.

En esta unidad Aprenderás maneras de sumar y restar números de dos y tres dígitos. ¡También aprenderás a sumar más de 2 números de dos dígitos a la vez!

✔ Comprueba tu progreso

Antes de comenzar esta unidad, marca las destrezas que ya conoces.

Puedo	Antes de la unidad	Después de la unidad
sumar números de dos dígitos.	☐	☐
sumar decenas y sumar unidades.	☐	☐
restar números de dos dígitos.	☐	☐
reagrupar una decena.	☐	☐
resolver un problema verbal de un paso al sumar y restar números de dos dígitos.	☐	☐
leer y escribir números de tres dígitos.	☐	☐
comparar números de tres dígitos.	☐	☐
sumar números de tres dígitos.	☐	☐
restar números de tres dígitos.	☐	☐
sumar más de 2 números de dos dígitos.	☐	☐

2.NBD.B.5
2.NBD.B.8

Ⓖ Usa lo que sabes

Sabes sumar números de un dígito.

Un día, Jaime encontró 27 latas para reciclar. Al día siguiente, encontró 15 latas para reciclar. ¿Cuántas latas encontró Jaime en total?

a. Encierra en un círculo grupos de decenas en el dibujo de 27 latas.

Hay _____ decenas y _____ unidades en 27.

b. Encierra en un círculo grupos de decenas en el dibujo de 15 latas.

Hay _____ decena y _____ unidades en 15.

c. ¿Cuántas decenas hay en total? _____ decenas

d. ¿Cuántas unidades hay en total? _____ unidades

12 unidades = _____ decena y _____ unidades

e. ¿Cuántas latas halló Jaime? Muestra tu respuesta.

_____

_____

Puedes sumar números de dos dígitos de muchas maneras.

Estas son algunas maneras de hallar 27 + 15.

Usa bloques de base diez.

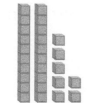 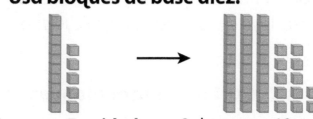

2 decenas y 7 unidades   1 decena y 5 unidades   3 decenas y 12 unidades

Pasa a la siguiente decena.
27 + **3** = 30
30 + **10** = 40
40 + **2** = 42

Suma decenas, luego unidades.
20 + 7
10 + 5
——————
30 + 12 = 42

▶ Reflexiona **Trabaja con un compañero.**

1 **Conversa** Muestra dos maneras de sumar 49 + 26.

49   26

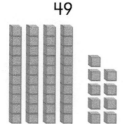

Escribe _____

_____

_____

Aprende ▶ **Diferentes maneras de mostrar la suma**

Lee el problema. Luego explorarás diferentes maneras de mostrar la suma.

> Antes del almuerzo, María leyó durante 38 minutos. Después del almuerzo, leyó durante 45 minutos. ¿Cuántos minutos leyó María en total?

▶ **Haz un dibujo** Puedes usar bloques de base diez.

3 decenas y 8 unidades   4 decenas y 5 unidades   7 decenas y 13 unidades

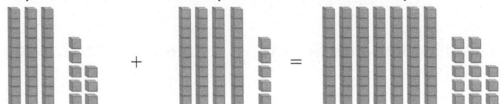

▶ **Haz un modelo** Puedes sumar decenas y sumar unidades.

$$38 = 30 + 8$$
$$45 = \underline{40 + 5}$$
$$70 + 13$$

▶ **Haz un modelo** Puedes pasar a la decena siguiente.

$$38 + \mathbf{2} = 40$$

$$40 + \mathbf{40} = 80$$

$$80 + \mathbf{3} = ?$$

Conéctalo todo Suma decenas y unidades.

2 Mira *Haz un dibujo* en la página anterior.
¿Cuál es el número total de decenas y unidades?

_____ decenas + _____ unidades

3 ¿Cuántas decenas y unidades hay en 13?

$13 =$ _____ decena y _____ unidades, o _____ $+ 3$

4 Suma ambas decenas. Luego suma las unidades.

$70 + 10 + 3 =$ _____ $+$ _____

$=$ _____

5 **Conversa** Explica cómo sumarías $38 + 45$.

Escribe _____

_____

_____

_____

▶ Pruébalo Prueba otro problema.

6 El Sr. Domínguez tiene 17 bolígrafos y 37 lápices. ¿Cuántos bolígrafos
y lápices tiene en total? Muestra tu trabajo.

_____

_____

Aprende ▶ **Más maneras de mostrar la suma**

Lee el problema. Luego explorarás maneras de mostrar la suma.

Hay 48 estudiantes en el autobús A y 43 estudiantes en el autobús B. ¿Cuántos estudiantes hay en ambos autobuses?

▶ **Haz un dibujo** Puedes usar un dibujo rápido.

Muestra cada número con un dibujo rápido.

Es más fácil sumar cuando un número no tiene unidades. Por lo tanto, forma una decena.

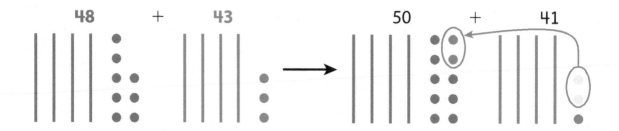

▶ **Haz un modelo** Puedes usar una recta numérica vacía.

Comienza con 48. Suma 2 para pasar a la siguiente decena. Para sumar 40, cuenta hacia adelante de decena en decena desde 50: 60, 70, 80, 90. Luego suma 1 más.

▶ **Conéctalo todo** Forma una decena para sumar.

Mira *Haz un dibujo* en la página anterior.

7 ¿Por qué sumas 2 a 48? _____

8 ¿Qué muestra el dibujo? Completa los espacios en blanco.

$$48 \quad + \quad 43$$

$$+ \boxed{} \qquad - \boxed{}$$

$$50 \quad + \quad 41 \quad = \quad \boxed{}$$

Mira *Haz un modelo* en la página anterior.

9 ¿Por qué primero saltas 2 espacios?

_____

10 ¿Qué número deberías obtener si sumas todos los saltos? ¿Por qué?

_____

_____

11 ¿Dónde está la respuesta en esta recta numérica vacía?

_____

▶ **Pruébalo** Prueba otro problema.

12 Samanta conduce 39 millas hacia el norte. Luego conduce 28 millas hacia el este. ¿Qué distancia conduce en total? Muestra tu trabajo.

_____

_____

Practica ▶ Sumar números de dos dígitos

Estudia el modelo de abajo. Luego resuelve los problemas 13 a 15.

Ejemplo

Lucas tenía 47 rocas en su colección. Obtuvo 34 rocas más. ¿Cuántas rocas tiene Lucas ahora?

Puedes contar hacia adelante de decena en decena y de unidad en unidad para sumar.

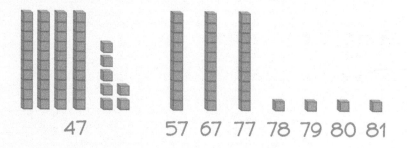

47   57 67 77 78 79 80 81

Respuesta __81 rocas__

---

13 Belén vendió 59 banderas en el desfile. Le quedaron 37 banderas. ¿Cuántas banderas tenía antes del desfile?

Muestra tu trabajo.

¿Cuántas decenas hay en cada número? ¿Cuántas unidades?

Respuesta _____

14 Mario usó 47 bloques para construir una torre. Luego usó 28 bloques más para hacerla más grande. ¿Cuántos bloques usó Mario en total?

Muestra tu trabajo.

¿Qué puedes sumar a 47 para obtener la siguiente decena?

Respuesta _____

15 Jimena obtuvo 53 puntos en su primera partida de cartas. Obtuvo 38 puntos en su segunda partida. ¿Qué número total de puntos obtuvo Jimena?

A 81

B 93

C 91

D 83

¿Tiene importancia con qué número empiezas?

Bruno eligió **A** como respuesta. Esta respuesta es incorrecta. ¿Cómo obtuvo Bruno la respuesta?

_____

_____

_____

Practica Sumar números de dos dígitos

Resuelve los problemas.

1 ¿Qué problema de suma muestra una manera de sumar 78 + 16? Encierra en un círculo todas las respuestas correctas.

A 70 + 8 + 10 + 6

B 70 + 10 + 8 + 6

C 80 + 14

D 70 + 8 + 6

2 Josefina hizo 36 sentadillas. Luego hizo 27 más. ¿Cuántas sentadillas hizo Josefina en total? Encierra en un círculo la respuesta correcta.

A 73

B 63

C 53

D 9

3 Di si la ecuación muestra cómo hallar 24 + 9. Encierra en un círculo *Sí* o *No* para cada problema.

a. 20 + 4 + 9 = 33   Sí   No

b. 2 + 4 + 9 = 15   Sí   No

c. 20 + 40 + 9 = 69   Sí   No

d. 20 + 10 + 3 = 33   Sí   No

4 Cada día Sergio corre 1 minuto más que el día anterior. Ayer corrió 18 minutos. ¿Cuántos minutos totales corrió ayer y hoy?
Encierra en un círculo la respuesta correcta.

A 17   **C** 35

B 19   **D** 37

5 La maestra Amado muestra a sus estudiantes el problema de la derecha. ¿Qué hizo? Explica. Luego muestra cómo resolver el problema de otra manera.

$$
\begin{array}{r}
25 \\
+\ 59 \\
\hline
14 \\
+\ 70 \\
\hline
84
\end{array}
$$

_____

_____

6 Halla $47 + 24$ como hizo la maestra Amado en el problema 5. Luego hazlo de otra manera. ¿Qué notas?

_____

_____

✓ **Comprueba tu progreso**   **Ahora puedes sumar números de dos dígitos. Incluye esto en la tabla de progreso de la página 59.**

Usa lo que sabes

Sabes contar decenas y unidades.

Hay 34 proyectos de arte en un concurso.
Hay 9 pinturas.
El resto son dibujos.
¿Cuántos proyectos de arte son dibujos?

a. ¿Cuántas decenas y unidades hay en 34?

_____ decenas y_____ unidades

b. Resuelve 34 − 9 para hallar el número de dibujos.

¿Cuántas unidades debes restar? _____

c. ¿Hay suficientes unidades en 34 para restar? _____

Explica. _____

_____

d. Observa el modelo de la derecha.

¿Cuántos bloques de decenas hay? _____ decenas

¿Cuántos bloques de unidades hay? _____ unidades

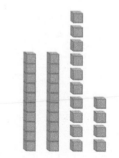

e. Ahora quita 9 unidades. ¿Cuántas decenas y unidades
quedan? _____ decenas y _____ unidades

f. ¿Cuántos proyectos de arte son dibujos?_____

Estas son dos maneras de hallar 34 − 9.

Comienza en 9 y suma hasta 34.

Pasa al siguiente 10.   9 + _____ = 10

Suma para llegar a 30.   10 + _____ = 30

Suma para obtener 34.   30 + _____ = 34

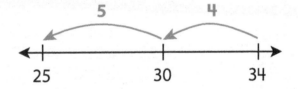

Suma los saltos. ⟶ _____

9 + _____ = 34; por lo tanto, 34 − 9 = _____

Resta para formar una decena.

34 tiene 4 unidades; por lo tanto, resta 4 primero. Luego resta 5.

34 − 4 = 30

30 − 5 = 25

34 − 9 = _____

Reflexiona

1 **Conversa** ¿Cómo restas 46 − 8? Explica una manera.

Escribe _____

_____

_____

Aprende ▶ **Restar mediante la suma**

Lee el problema. Luego sumarás para restar números de dos dígitos.

> Hay 54 niños en un campamento. De ellos, 27 son niñas. ¿Cuántos varones hay en el campamento?

▶ **Haz un modelo** **Puedes sumar decenas primero.**

$54 - 27 = ?$ es lo mismo que $27 + ? = 54.$

$27 + 20 = 47$

$47 + 3 = 50$

$50 + 4 = 54$

$20 + 3 + 4 = ?$

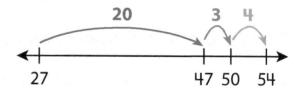

▶ **Haz un modelo** **Puedes sumar hasta la decena siguiente.**

Halla $54 - 27.$

Comienza con 27 y suma 3.
Luego suma 20 para llegar a 50.
Por último, suma 4 para llegar a 54.

$27 + 3 = 30$

$30 + 20 = 50$

$50 + 4 = 54$

$3 + 20 + 4 = ?$

Puedes contar hacia arriba de 10 en 10 para sumar 20. Piensa: 40, 50.

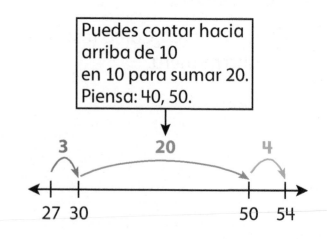

Conéctalo todo Comprende la suma.

Mira el primer *Haz un modelo*.

2 ¿Con qué número comienzas? _____

¿En qué número te detienes? _____

Mira el segundo *Haz un modelo*.

3 ¿Por qué sumas 3 primero? _____

_____

4 ¿Cuánto es 54 − 27? ¿Cómo obtuviste la repuesta?

_____

_____

5 **Conversa** ¿En qué se parecen los dos modelos de la página anterior? ¿En qué se diferencian?

Escribe _____

_____

_____

_____

Pruébalo Prueba otro problema.

6 Resta 71 − 36 mediante la suma. Muestra tu trabajo.

_____

Lee el problema. Luego restarás de diferentes maneras.

Miriam tenía 42 animales de juguete. Dio 15 animales de juguete a sus amigos. ¿Cuántos animales de juguete le quedan a Miriam?

▶ **Haz un modelo** Puedes reagrupar una decena primero y luego restar.

Halla 42 − 15.

Paso 1: Forma 10 unidades con 1 decena en 42.

42 = 3 decenas y 12 unidades

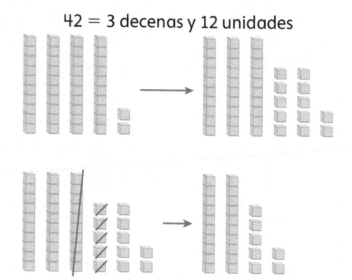

Paso 2: Resta.

  3 decenas y 12 unidades
− 1 decena y   5 unidades

▶ **Haz un modelo** Puedes restar decenas primero.

Halla 42 − 15.

Paso 1: 15 = 1 decena y 5 unidades.

Quita 1 decena.

  42 − 10 = 32

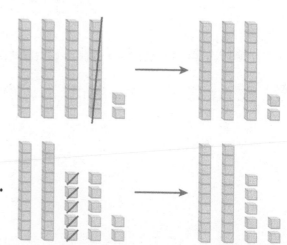

Paso 2: Forma 10 unidades con 1 decena. Luego quita 5 unidades.

▶ **Conéctalo todo** **Comprende maneras de restar.**

Mira el primer *Haz un modelo* en la página anterior.

7 ¿Por qué formas 10 unidades con 1 decena en 42?

_____

8 ¿Cuántas decenas y unidades quedan después de que

restas en el paso 2? _____ decenas y _____ unidades

Mira el segundo *Haz un modelo* en la página anterior.

9 ¿Cuántas decenas y unidades quedan después de que

restas 1 decena? _____ decenas y _____ unidades

10 ¿Cuántas decenas y unidades quedan después de que

restas 5 unidades? _____ decenas y _____ unidades

11 ¿Cuántos animales de juguete le quedan a Miriam? _____

12 **Conversa** ¿En qué se diferencia el paso 1 en el primer *Haz un modelo* del paso 1 en el segundo *Haz un modelo*? ¿Tiene importancia qué haces primero?

Escribe _____

_____

_____

▶ **Pruébalo** **Prueba otro problema.**

13 Resta 82 − 63 quitando decenas y unidades.
Muestra tu trabajo.

_____

_____

_____

Practica ▶ **Restar números de dos dígitos**

Estudia el modelo de abajo. Luego resuelve los problemas 14 a 16.

Ejemplo

José tiene 52 tarjetas. Pone 28 tarjetas en una pila y el resto en una segunda pila. ¿Cuántas tarjetas hay en la segunda pila? Halla 52 − 28.

Puedes mostrar tu trabajo en una recta numérica vacía.

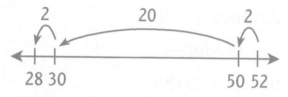

Salta hacia abajo 2 + 20 + 2, o 24, para llegar a 28. Por lo tanto, 52 − 28 = 24.

Respuesta __24 tarjetas__

14 En la granja, hay 92 árboles frutales. De ellos, 69 son manzanos. El resto son perales. ¿Cuántos perales hay? Halla 92 − 69.

Muestra tu trabajo.

Si sumas, ¿con qué número comienzas?

Respuesta _____

15 Hay 71 estudiantes en dos autobuses. Un autobús tiene 38 estudiantes. ¿Cuántos hay en el otro autobús? Halla 71 − 38.

Muestra tu trabajo.

¿Qué número puedes restar si restas las decenas primero?

Respuesta _____

16 Pedro hace 27 saltos de tijera. Raúl hace 8 saltos de tijera menos que Pedro. ¿Cuántos saltos de tijera hace Raúl? Halla 27 − 8.

A 9

B 19

C 20

D 35

¿Cuánto quitas a 27 para formar una decena?

María eligió **D** como respuesta. Esta respuesta es incorrecta. ¿Cómo obtuvo María la respuesta?

_____

_____

_____

Practica   **Restar números de dos dígitos**

Resuelve los problemas.

1 ¿Cómo hallas 35 − 17? Encierra en un círculo todas las respuestas correctas.

A 35 − 5 = 30 y 30 − 2 = 28

B 35 − 10 = 25 y 25 − 7 = 18

C 17 + 10 = 27 y 27 + 7 = 34

D 17 + 3 = 20 y 20 + 15 = 35

2 Jaime dibujó este modelo para resolver un problema. ¿Qué problema resolvió? Encierra en un círculo la respuesta correcta.

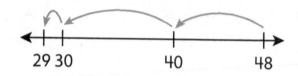

29 30   40   48

A 40 − 11 = 29

B 48 − 18 = 29

C 48 − 18 = 30

D 48 − 19 = 29

3 Domingo tenía 22 conchas de mar. Dio 5 a su hermano. ¿Cuántas conchas de mar tiene Domingo ahora? Halla 22 − 5. Encierra en un círculo la respuesta correcta.

A 7

B 12

C 17

D 29

4 Encierra en un círculo *Sí* o *No* para decir si puedes usar el método para hallar 56 − 17.

a. 56 − 6 = 50 y
    50 − 1 = 49   Sí   No

b. 56 − 10 = 46 y
    46 − 7 = 39   Sí   No

c. 17 + 3 = 20 y
    20 + 36 = 56   Sí   No

d.   4 decenas y 16 unidades
   − 1 decena y 7 unidades   Sí   No
      3 decenas y 9 unidades

5 Gregorio restó 73 − 44. Se olvidó del último paso. Escribe el último paso y la respuesta en los recuadros. Explica cómo restó Gregorio.

$$
\begin{array}{r}
73 \\
-\ 40 \\
\hline
33 \\
-\ 3 \\
\hline
30 \\
\end{array}
$$

$$
\begin{array}{r}
\boxed{} \\
-\ \boxed{} \\
\hline
\boxed{} \\
\end{array}
$$

_____

_____

_____

6 Muestra otra manera de restar 73 − 44. Asegúrate de que sea diferente de lo que hiciste en en el problema 5.

✓ Comprueba tu progreso

Ahora puedes restar números de dos dígitos. Incluye esto en la tabla de progreso de la página 59.

G Usa lo que sabes

Repasa problemas verbales de un paso.

Los estudiantes del maestro Soto pueden intercambiar 75 tapas de cajas por útiles escolares. Tienen 49 tapas de cajas. ¿Cuántas más necesitan para llegar a 75?

a. ¿Cuál es el número total de tapas de cajas que la clase puede intercambiar? Escribe este número en el modelo.

b. ¿Con cuántas tapas de cajas comienza la clase? Escribe este número en el modelo.

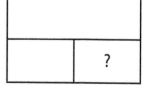

	?

c. Usa el modelo. Completa los espacios en blanco de abajo para escribir una ecuación.

_____ + ? = _____

d. Halla el número que falta. Muestra tu trabajo.

e. ¿Cuántas tapas de cajas más necesita la clase? _____

Puedes usar modelos para los problemas de *comienzo, cambio* y *total*. Esta es una manera de pensar el problema de la página anterior.

- **Comienzo** con un número. (49 tapas de cajas)

- Sucede un **cambio**. (Reúne más tapas de cajas.)

- Obtén un **total**. (75 tapas de cajas)

Puedes usar cualquiera de estos modelos para mostrar el problema.

Puedes usar cualquiera de estas ecuaciones para resolver el problema.

Suma	**Resta**
$49 + ? = 75$	$75 - 49 = ?$
$? + 49 = 75$	$75 - ? = 49$

▶ **Reflexiona** **Trabaja con un compañero.**

1 **Conversa** Mira las ecuaciones de arriba. El ? y los números están en diferentes lugares. ¿Por qué es la respuesta de todas estas ecuaciones 26?

Escribe _____

_____

_____

_____

Maneras de hacer modelos de problemas verbales

Lee el problema. Luego usarás ecuaciones de suma y resta para hacer un modelo del problema.

Tomás juega un juego. La tabla muestra sus puntos.

Nivel 1	?
Nivel 2	16 puntos
Total	55 puntos

¿Cuántos puntos obtuvo Tomás en el nivel 1?

▶ **Haz un dibujo** Puedes dibujar un diagrama de barras.

55	
?	16

▶ **Haz un modelo** Puedes usar una ecuación de suma.

Puntuación del Nivel 1	+	Puntuación del Nivel 2	=	Puntuación total
?	+	16	=	55

▶ **Haz un modelo** Puedes usar una ecuación de resta.

Puntuación total	−	Puntuación del Nivel 2	=	Puntuación del Nivel 1
55	−	16	=	?

Conéctalo todo Comprende ecuaciones de suma y de resta.

2 Mira *Haz un dibujo*. ¿Qué significa el ⬚? ?

_____

3 Mira el segundo *Haz un modelo*. Escribe otra ecuación de resta que puedas usar para resolver el problema.

_____ − _____ = _____

4 Resuelve el problema de la página anterior. Muestra tu trabajo en la recta numérica vacía. Luego escribe tu respuesta.

_____

5 **Conversa** ¿Cómo hiciste tu recta numérica en el problema 4? ¿De qué otra manera se halla la respuesta?

Escribe _____

_____

_____

Pruébalo Prueba otro problema.

6 Matías tenía 72 tarjetas deportivas. Luego obtuvo más tarjetas. Ahora tiene 90 tarjetas. ¿Cuántas tarjetas más obtuvo Matías? Muestra tu trabajo.

_____

Más maneras de hacer modelos de problemas verbales

Lee el problema. Luego usarás palabras y números para hacer un modelo del problema.

Había unos libros en un estante. Los estudiantes se llevaron 24 libros del estante. Luego había 38 libros en el estante. ¿Cuántos libros había en el estante al comienzo?

▶ **Haz un modelo** Puedes mostrar el problema con palabras.

Puedes hacer un modelo del problema con palabras.

▶ **Haz un modelo** Puedes mostrar el problema con números.

Puedes hacer un modelo del problema con números.

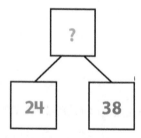

Conéctalo todo Escribe una ecuación para resolver el problema.

7 Mira el segundo *Haz un modelo*. Escribe una ecuación de suma y una ecuación de resta para el problema.

_____ = _____ + _____   _____ − _____ = _____

8 Escribe otra ecuación de suma que podrías usar para resolver el problema.

_____ + _____ = _____

9 ¿Cuál fue el número total de libros en el estante al comienzo? Muestra tu trabajo.

_____

_____

10 Conversa ¿Cómo resolvió tu compañero el problema?

Escribe _____

_____

_____

Pruébalo Prueba otro problema.

11 Los estudiantes ayudan a limpiar el parque. Al mediodía, 33 estudiantes se van a casa. Quedan 48 estudiantes. ¿Cuántos estudiantes comenzaron? Muestra tu trabajo.

_____

_____

Practica ▶ **Hacer modelos y resolver problemas verbales**

Estudia el modelo de abajo. Luego resuelve los problemas 12 a 14.

Ejemplo

El puntaje de matemáticas de Carla es 95. El puntaje de Juan es 13 puntos menos que el puntaje de Carla. ¿Cuál es el puntaje de Juan?

Puedes mostrar tu trabajo en una recta numérica vacía.

El puntaje de Carla − 13 = el puntaje de Juan   95 − 13 = ?

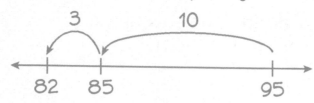

Respuesta El puntaje de Juan es 82.

---

12 Había 22 personas en un tren. Más personas se subieron en la siguiente parada. Ahora hay 51 personas en el tren. ¿Cuántas personas se subieron en la parada?

Muestra tu trabajo.

¿Puedes hacer un modelo que te ayude a pensar en el problema?

Respuesta _____

13 Hay 27 perros pequeños y 26 perros grandes en el concurso de mascotas. ¿Cuántos perros hay en el concurso de mascotas?

Muestra tu trabajo.

¿Sumas o restas para resolver el problema?

Respuesta _____

14 Elisa da 42 saltos con una cuerda. Tania da 17 saltos menos. ¿Cuántos saltos da Tania?

A 15

B 22

C 25

D 59

¿Qué niña da más saltos?

Rigo eligió **D** como respuesta. Esta respuesta es incorrecta. ¿Cómo obtuvo Rigo la respuesta?

_____

_____

_____

Resuelve los problemas.

1 Tomás mide 47 pulgadas. María mide 56 pulgadas. ¿Cuánto más alta es María?

¿Qué ecuación se puede usar para resolver este problema? Encierra en un círculo todas las respuestas correctas.

A $56 + ? = 47$

B $47 + ? = 56$

C $56 = 47 + ?$

D $56 - ? = 47$

2 Un perro beagle pesa 26 libras. Un perro pug pesa 8 libras menos que el beagle. ¿Cuántas libras pesa el pug? Encierra en un círculo la respuesta correcta.

A 34

B 20

C 18

D 13

3 Sara tiene 52 bolígrafos. Los coloca en dos tazas. Completa cada ecuación para mostrar algunas de las maneras en las que Sara podría colocar sus bolígrafos en las dos tazas.

$26 + \underline{\quad} = 52$ $\qquad$ $\underline{\quad} + 27 = 52$

$\underline{\quad} + 23 = 52$ $\qquad$ $34 + \underline{\quad} = 52$

4 Hay 32 estudiantes en la obra de teatro de la escuela. Hay 17 niñas. El resto son varones. ¿Cuántos varones hay en la obra de teatro? Encierra en un círculo la respuesta correcta.

A 49

B 15

C 13

D 12

5 Hay 64 pelotas y 58 bates en el gimnasio. ¿Cuántas pelotas más que bates hay?

Encierra en un círculo *Sí* o *No* para decir si cada ecuación puede usarse para resolver el problema.

a. $58 + ? = 64$ Sí   No

b. $64 - 58 = ?$ Sí   No

c. $64 + 58 = ?$ Sí   No

d. $64 - ? = 58$ Sí   No

6 Escribe un problema verbal de un paso en el que se use la suma o la resta con números de dos dígitos. Luego resuelve el problema.

_____

_____

Piénsalo bien

¿Qué es **una centena**?

Puedes contar hasta cien. Después de 99 está **100**.

1	2	3	4	5	6	7	8	9	10
11	12	13	14	15	16	17	18	19	20
21	22	23	24	25	26	27	28	29	30
31	32	33	34	35	36	37	38	39	40
41	42	43	44	45	46	47	48	49	50
51	52	53	54	55	56	57	58	59	60
61	62	63	64	65	66	67	68	69	70
71	72	73	74	75	76	77	78	79	80
81	82	83	84	85	86	87	88	89	90
91	92	93	94	95	96	97	98	99	**100**

Piensa **Una centena son 100 unidades. Una centena son 10 decenas.**

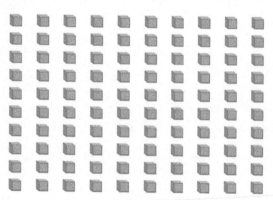

100 = 100 unidades

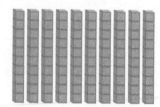

100 = 10 decenas

 Encierra en un círculo los grupos de 10 unidades en 100.

Piensa Una centena puede mostrarse como centenas, decenas o unidades.

Completa los espacios en blanco.

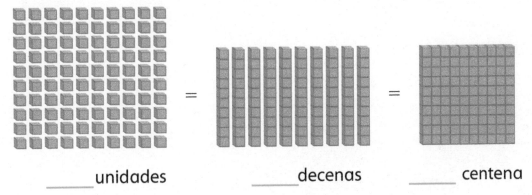

_____ unidades   _____ decenas   _____ centena

Maneras de mostrar 100			
Centenas	Decenas	Unidades	
0	0	100	0 centenas + 0 decenas + 100 unidades
0	10	0	0 centenas + 10 decenas + 0 unidades
1	0	0	1 centena + 0 decenas + 0 unidades

100
↑
lugar de las centenas

Un número de tres dígitos tiene un lugar de centenas.
Dice cuántas centenas hay en un número.

▶ **Reflexiona** **Trabaja con un compañero.**

1 **Conversa** Piensa en 200. ¿Cuántas centenas tiene 200? ¿Cuántas decenas? ¿Cuántas unidades?

Escribe _____

_____

_____

Piensa en ⟩ Centenas, decenas y unidades

🔍 **Explora la idea** Puedes contar números de tres dígitos en centenas, decenas y unidades.

Puedes contar centenas.

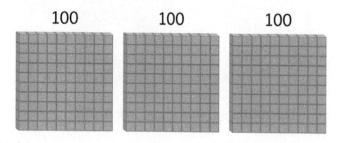

100   100   100

2 Cuenta: 1 centena, 2 centenas, _____ centenas

3 _____ centenas = 300

Puedes contar centenas y decenas.

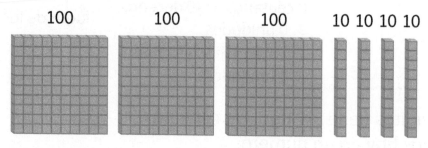

100   100   100   10 10 10 10

4 _____ centenas + _____ decenas = 300 + 40 = 340

Puedes contar centenas, decenas y unidades.

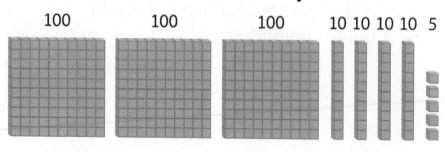

100   100   100   10 10 10 10 5

5 _____ centenas + _____ decenas + _____ unidades = 300 + 40 + 5 = 345

©Curriculum Associates, LLC   Se prohíbe la reproducción.

¡Vamos a conversar!
Trabaja con un compañero.

6 Este modelo muestra 300 en decenas. 300 = _____ decenas

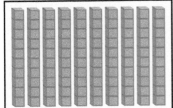 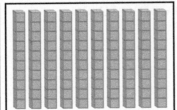 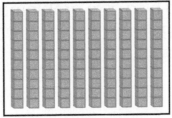

7 Este modelo muestra 340 en decenas. 340 = _____ decenas

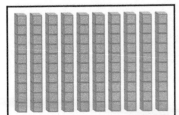 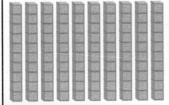 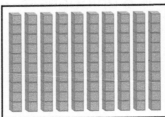 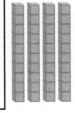

8 Este modelo muestra 345 en decenas. Hay unidades que sobran.

345 = _____ decenas y _____ unidades

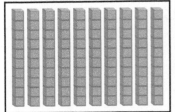 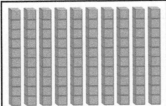 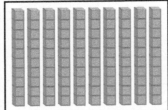 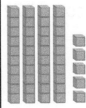

▶ **Prueba de otro modo** **Escribe centenas, decenas y unidades en una tabla.**

Ejemplo
3 centenas + 5 decenas + 8 unidades

Centenas	Decenas	Unidades
3	5	8

9 5 centenas + 3 decenas

Centenas	Decenas	Unidades

10 7 centenass + 8 unidades

Centenas	Decenas	Unidades

Habla de estas preguntas en clase. Luego escribe tus respuestas.

11 Evalúa Laura hizo este problema como tarea. ¿Qué hizo mal?

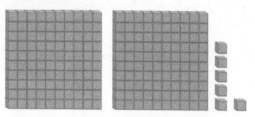

2 centenas + 6 unidades = 26

_____

_____

12 Analiza Mira cómo Raúl y Nico escribieron 572. Explica qué hizo cada uno.

Raúl   572 = 57 decenas + 2 unidades

Nico   572 = 5 centenas + 7 decenas + 2 unidades

_____

_____

_____

13 Identifica Completa los espacios en blanco para mostrar 256 de varias maneras.

Centenas	Decenas	Unidades
0	0	
0		6
	5	

Aplica

Ideas sobre el valor posicional en números de tres dígitos

Combina todo **Usa lo que aprendiste para completar esta tarea.**

14 José coloca sus monedas en pilas de diez. Tiene 12 pilas de monedas y le sobran 4 monedas.

Parte A Haz un dibujo para mostrar las monedas de José.

Parte B ¿Cuántas monedas tiene José? Escribe la respuesta de dos maneras diferentes.

____

____

Parte C José recibe 30 monedas más de un amigo. José dice que ahora tiene 190 monedas. ¿Estás de acuerdo? Explica.

____

____

____

____

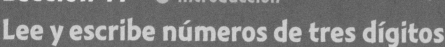

 Usa lo que sabes

Escribe números de tres dígitos con centenas, decenas y unidades.

Juana compra 2 bolsas de 100 globos. También compra 7 bolsas de 10 globos y 5 globos sueltos. ¿Cuántos globos compra Juana?

a. 2 bolsas de 100 = _____ centenas
El número de globos en 2 bolsas de 100 es _____ .

b. 7 bolsas de 10 = _____ decenas
El número de globos en 7 bolsas de diez es _____ .

c. 5 globos sueltos = _____ unidades
El número de globos sueltos es _____ .

d. Completa la ecuación para hallar el número total
de globos.

_____ + _____ + _____ = _____
centenas   decenas unidades

Los **dígitos** 0, 1, 2, 3, 4, 5, 6, 7, 8 y 9 forman todos los números. El lugar del dígito en un número dice su valor.

El mismo dígito puede tener distintos valores.
Mira el valor de cada 4 en este número.

Centenas	Decenas	Unidades
4	4	4

$$\downarrow \qquad \downarrow \qquad \downarrow$$

400   40   4

▶ **Reflexiona** **Trabaja con un compañero.**

1 **Conversa** ¿Cuándo el dígito 8 tiene un valor de 8? ¿De 80? ¿De 800? ¿Cuáles son algunos números de tres dígitos que muestran estos valores?

Escribe _____

_____

_____

_____

_____

Aprende **Hallar el valor de números de tres dígitos**

Lee el problema. Luego mostrarás las centenas, las decenas y las unidades de distintas maneras.

> Omar juega un juego de mesa con dinero de juguete. Gana 2 billetes de cien, 1 billete de 10 y 3 billetes de 1. ¿Cuál es el valor total de los billetes que Omar gana?

▶ **Haz un dibujo** Puedes hacer un dibujo para mostrar el problema.

▶ **Haz un dibujo** Puedes hacer un dibujo rápido para mostrar las centenas, las decenas y las unidades.

▶ **Haz un modelo** Puedes mostrar las centenas, las decenas y las unidades en una tabla.

Centenas	Decenas	Unidades
2	1	3

Conéctalo todo Escribe el número como centenas, decenas y unidades.

2 Mira los modelos en la página anterior.
¿Cuántas centenas, decenas y unidades hay?

_____ centenas _____ decenas _____ unidades

3 ¿Cuál es el valor de los billetes de centenas? _____ dólares

¿Cuál es el valor de los billetes de decenas? _____ dólares

¿Cuál es el valor de los billetes de unidades? _____ dólares

4 Escribe una ecuación para hallar el valor total
de todos los billetes.

_____ + _____ + _____ = _____ dólares

5 **Conversa** Omar gana 2 billetes de diez más. ¿Cómo
escribirías el nuevo valor total del dinero de juguete de
Omar? Explica cómo hallaste la respuesta.

Escribe _____

_____

_____

_____

Pruébalo Prueba con otro problema.

6 ¿De qué otra manera se puede mostrar cada número? Traza líneas
para concectar cada número con otra manera de escribir el número.

392   329   239

300 + 20 + 9   200 + 30 + 9   300 + 90 + 2

Practica **Leer y escribir números de tres dígitos**

Estudia el modelo de abajo. Luego resuelve los problemas 7 a 9.

Ejemplo

La Sra. Díaz escribió este número en un cheque.

quinientos noventa y cuatro

¿Qué número es?

Puedes mostrar tu trabajo en una tabla.

Centenas	Decenas	Unidades
5	9	4

↓ quinientos   ↓ noventa   ↓ y cuatro

Respuesta _El número es 594._

---

7 Pedro escribió estas pistas sobre su número secreto.

- El dígito de las centenas es 1 más que 8.
- El dígito de las decenas tiene un valor de 40.
- El número tiene 2 unidades.

¿Cuál es el número secreto?

Muestra tu trabajo.

¿Cuántos dígitos tiene en el número?

Respuesta _____

8 Luis juega un juego de mesa. Este es el dinero de juguete de Luis. Escribe la cantidad de dos maneras distintas.

¿Qué valor tiene cada tipo de billete en el problema?

_____ dólares + _____ dólares + _____ dólares

_____ dólares

---

9 ¿Qué número es lo mismo que 700 + 6?

A 76

B 607

¿Cuántas decenas tiene el número?

C 706

D 760

Susana eligió **A** como respuesta. Esta respuesta es incorrecta. ¿Cómo obtuvo Susana su respuesta?

_____

_____

_____

Resuelve los problemas.

1 ¿De qué otra manera se puede mostrar 2 centenas y 5 unidades? Encierra en un círculo todas las respuestas correctas.

A 200 + 5

B 25

C 200 + 50

D 205

2 ¿Qué muestra el modelo? Completa la tabla y los espacios en blanco.

Centenas	Decenas	Unidades

Valor: _____ + _____ + _____

Total: _____

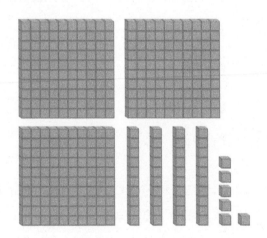

3 Un oso del zoológico pesa 360 libras. ¿Qué es verdadero sobre este número? Encierra en un círculo todas las respuestas correctas.

A Es 300 + 6.

B Es igual a 36 decenas.

C Es 300 + 60.

D Tiene 3 centenas y 6 decenas.

4 Estas son pistas sobre un número.

- El número tiene 7 centenas.

- El dígito de las decenas tiene un valor de 30.

- El dígito de las unidades es menor que cualquier otro dígito en el número.

¿Qué número puede ser? Explica.

_____

_____

_____

5 Escribe el valor de cada dígito de los dos números.

275	527
_____ + _____ + _____	_____ + _____ + _____

6 Mira el problema 5. ¿Por qué 2, 5 y 7 tienen un valor distinto en cada número? Explica.

_____

_____

_____

Ahora puedes escribir números de tres dígitos. Incluye esto en la tabla de progreso de la página 59.

Ⓖ Usa lo que sabes

Compara centenas y decenas.

Caro y Juan lanzaron bolsas de frijoles a un blanco. ¿Cuál es el mayor número que cada uno puede formar con los dígitos en donde cayeron las bolsas? ¿Qué número tiene más centenas?

Caro

Juan

a. ¿Cuál es el mayor número que Caro puede formar? ¿Por qué?

_____

_____

_____

b. Una de las bolsas de frijoles de Juan no cayó sobre el tablero; por lo tanto, solo puede usar dos números. ¿Cuál es el mayor número que Juan puede formar? ¿Por qué?

_____

_____

c. ¿Cuántas centenas, decenas y unidades hay en cada número?

Número de Caro: _____ centenas + _____ decenas + _____ unidad

Número de Juan: _____ centenas + _____ decenas + _____ unidades

d. Compara los números. ¿Cuál tiene más centenas?

_____

Cuando compares números, comienza siempre con el mayor valor posicional. Compara los dígitos de cada lugar.

	Centenas	Decenas	Unidades
Juan	0	9	7
Caro	4	2	1

4 centenas es mayor que 0 centenas.

El número con más centenas es mayor. Por lo tanto, 421 es mayor que 97.

Puedes usar los símbolos <, >, e = para comparar números.

Piensa en < y > como la boca de un caimán hambriento que está abierta para comerse el número mayor.

97 < 421

97 es menor que 421.

421 > 97

421 es mayor que 97.

▶ **Reflexiona** **Trabaja con un compañero.**

1 **Conversa** ¿Por qué un número de tres dígitos es siempre mayor que un número de dos dígitos?

Escribe _____

_____

_____

_____

Lee el problema. Luego compararás dos números de tres dígitos.

Hay un concurso en la feria de la escuela. Los estudiantes adivinan cuántos caramelos hay en el frasco. Beto supone que hay 352 y Diego 328. ¿Qué suposición es el número menor?

▶ **Haz un dibujo** Puedes hacer un modelo de los números con bloques de base diez.

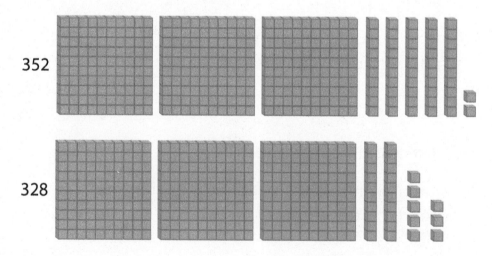

352

328

▶ **Haz un modelo** Puedes escribir los números como centenas, decenas y unidades.

352 = 3 centenas + 5 decenas + 2 unidades

328 = 3 centenas + 2 decenas + 8 unidades

Conéctalo todo Comprende cómo comparar números.

2 Mira los modelos en la página anterior. ¿Puedes usar los números del lugar de las centenas para decidir qué número es mayor? ¿Por qué?

_____

3 Ahora compara las decenas. ¿Qué número tiene más decenas?

_____

4 Completa la oración numérica para comparar 352 y 328.

_____ < _____

5 **Conversa** Beto dice que 2 < 8; por lo tanto, 352 < 328. ¿Es esto correcto? Explica.

Escribe _____

_____

_____

Pruébalo Prueba otro problema.

6 Escribe una oración numérica para comparar 761 y 716. Explica por qué la oración numérica es cierta.

_____

_____

_____

Aprende ▷ **Más maneras de comparar números de tres dígitos**

Lee el problema. Luego restarás de diferentes maneras.

Estas dos pinturas están en el concurso de arte de la escuela. ¿Qué pintura tiene más votos?

Pintura A: 467 Votos

Pintura B: 463 Votos

▶ **Haz un dibujo** **Puedes mostrar los números en un dibujo rápido.**

467

463

▶ **Haz un modelo** **Puedes hacer un modelo de los números en una tabla.**

Centenas	Decenas	Unidades
4	6	7
4	6	3

Conéctalo todo Compara centenas, decenas y unidades.

7 Mira los modelos en la página anterior. Compara
las centenas y las decenas. ¿Qué notas?

_____

8 ¿Qué lugar debes mirar para comparar
los números? ¿Por qué?

_____

_____

9 Usa los números 467 y 463 para completar cada
oración numérica.

_____ > _____   _____ < _____

10 ¿Por qué puedes escribir dos oraciones numéricas diferentes
para comparar 467 y 463?

_____

_____

11 ¿Qué pintura tiene más votos? ¿Cómo lo sabes?

_____

Pruébalo Prueba otro problema.

12 Escribe > o < en cada espacio en blanco.

a. 264 _____ 462   **c.** 954 _____ 950   **e.** 718 _____ 788

b. 372 _____ 379   **d.** 876 _____ 867   **f.** 653 _____ 553

Estudia el modelo de abajo. Luego resuelve los problemas 13 a 15.

Ejemplo

Andrés empaca 250 naranjas en una caja. Lola empaca 25 bolsas de naranjas. Coloca 10 naranjas en cada bolsa. ¿Quién empaca más naranjas?

Mira cómo puedes mostrar tu trabajo.

25 bolsas con 10 en cada bolsa = 25 decenas

25 decenas = 250

250 naranjas en bolsas

250 naranjas en una caja

250 = 250

Respuesta Cada uno empaca 250 naranjas. Ninguno

empaca más que el otro.

13 ¿Qué dos jugadores tienen los mayores puntajes?
Escribe el número de centenas y decenas en la tabla.

Jugador	Puntaje	Centenas	Decenas
Esteban	92		
Sarita	233		
Pablo	213		
Carlos	236		

Recuerda mirar el lugar de las centenas primero.

Muestra tu trabajo.

Respuesta _____

14 Isabel anduvo 122 millas en bicicleta. Ariel anduvo 126 millas. ¿Quién anduvo menos millas?

Muestra tu trabajo.

¿Buscas el número menor o el mayor?

Respuesta _____

15 Jimena e Irene escriben un número de tres dígitos cada una.

Número de Jimena: 305

Número de Irene: 3 centenas y 5 decenas

¿Qué oración numérica compara sus números de manera correcta?

¿Qué número es igual que 3 centenas y 5 decenas?

A 305 < 305

B 305 = 305

C 350 > 305

D 350 < 305

Daniel eligió **B** como respuesta. Esta respuesta es incorrecta. ¿Cómo obtuvo Daniel la respuesta?

_____

_____

Practica ▶ **Comparar números de tres dígitos**

Resuelve los problemas.

1 ¿Qué comparación es verdadera? Encierra en un círculo todas las respuestas correctas.

A $431 > 427$

B $540 < 5$ centenas 4 unidades

C $727 < 772$

D 9 centenas 6 decenas < 906

2 Felipe tiene 248 cromos. Simón tiene más cromos que Felipe. ¿Cuántos cromos podría tener Simón? Encierra en un círculo todas las respuestas correctas.

A 239

B 245

C 252

D 260

3 Elige *Verdadero* o *Falso* para cada comparación.

a. $551 > 539$ Verdadero Falso

b. $924 < 889$ Verdadero Falso

c. $770 = 707$ Verdadero Falso

d. $422 < 425$ Verdadero Falso

4 Escribe uno de los números de abajo en cada recuadro para hacer que sea una comparación verdadera.

308   380   390

[   ] > 386   38 decenas = [   ]   [   ] < 384

5 Usa los dígitos de abajo para formar el mayor número de tres dígitos que puedas. Explica cómo obtuviste la respuesta.

[4]   [1]   [8]

_____

_____

_____

6 Josué quiere usar los dígitos del problema 5 para formar el menor número que pueda. Escribe 184. ¿Es este el menor número que puede formar? Explica.

_____

_____

_____

 **Comprueba tu progreso** **Ahora puedes comparar números de tres dígitos. Incluye esto en la tabla de progreso de la página 59.**

G Usa lo que sabes

Suma centenas, decenas y unidades.

Hay 214 peces en la pecera gigante de un acuario. Hay otros 131 animales marinos en la pecera. ¿Cuántos animales viven en el tanque gigante?

a. ¿Cuántas centenas, decenas y unidades hay en cada número? Completa la tabla.

	Centenas	Decenas	Unidades
214			
131			

b. ¿Cuál es el número total de centenas, decenas y unidades en la tabla?

_____ centenas _____ decenas _____ unidades

c. ¿Cuál es el valor del número total de centenas, decenas y unidades?

_____ + _____ + _____

d. ¿Cuántos animales viven en la pecera gigante?

$214 + 131 =$ _____

Hay otras maneras de hallar la suma de 214 y 131.

Estas son dos maneras de separar sumandos.

214 ⟶ 200 + 10 + 4	214 ⟶ 2 centenas + 1 decena + 4 unidades
+ 131 ⟶ 100 + 30 + 1	+ 131 ⟶ 1 centena + 3 decenas + 1 unidad
345 ⟵ 300 + 40 + 5	345 ⟵ 3 centenas + 4 decenas + 5 unidades

También puedes mostrar saltos en una recta numérica.

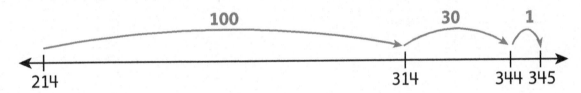

Reflexiona **Trabaja con un compañero.**

1 **Conversa** ¿Siempre tienes que sumar centenas, luego decenas y luego unidades? ¿Por qué?

Escribe _____

_____

_____

_____

Aprende **Sumar centenas, decenas y unidades**

Lee el problema. Luego mostrarás los sumandos de diferentes maneras.

> Hay 254 adultos y 328 niños que ayudan a limpiar la ciudad. ¿Cuántas personas ayudan a limpiar la ciudad?

▶ **Haz un dibujo** **Puedes mostrar los números en un dibujo rápido.**

254

328

$254 + 328 = 5$ centenas $+ 7$ decenas $+ 12$ unidades

▶ **Haz un modelo** **Puedes separar sumandos.**

$$254 \longrightarrow 200 + 50 + 4$$
$$+\ 328 \longrightarrow 300 + 20 + 8$$
$$500 + 70 + 12$$

Conéctalo todo Forma una decena para sumar.

2 Mira *Haz un dibujo*. ¿Cómo escribes 12 unidades como decenas y unidades?

12 unidades = _____ decenas + _____ unidades

3 Mira *Haz un modelo*. ¿Cuál es el número total de decenas en 70 + 12? Explica.

_____

_____

_____

4 ¿Cuántas personas ayudan a limpiar la ciudad? Muestra cómo hallar la suma.

_____

_____

Pruébalo Prueba más problemas.

Halla cada suma. Muestra tu trabajo.

5
```
   526
 + 235
```

6 167 + 426

Aprende ▸ Sumar números de tres dígitos

Lee el problema. Luego harás un modelo de la suma de diferentes maneras.

> Hay 476 rocas y 148 minerales en una muestra de museo.
> ¿Cuál es el número total de rocas y minerales en la muestra?

▶ **Haz un modelo** Puedes mostrar cada número como centenas, decenas y unidades.

$$
\begin{array}{cccccc}
476 & \longrightarrow & \text{4 centenas} + & \text{7 decenas} + & \text{6 unidades} \\
+\,148 & \longrightarrow & \text{1 centena} + & \text{4 decenas} + & \text{8 unidades} \\
\hline
& & \text{5 centenas} + & \text{11 decenas} + & \text{14 unidades}
\end{array}
$$

▶ **Haz un modelo** Puedes sumar centenas, luego decenas, luego unidades.

$$
\begin{array}{r}
476 \\
+\,148 \\
\hline
500 \longrightarrow 400 + 100 \\
110 \longrightarrow 70 + 40 \\
14 \longrightarrow 6 + 8 \\
\end{array}
$$

$$500 + 110 + 14$$

▶ **Haz un modelo** Puedes sumar unidades, luego decenas, luego centenas.

$$
\begin{array}{r}
476 \\
+\,148 \\
\hline
14 \longrightarrow 6 + 8 \\
110 \longrightarrow 70 + 40 \\
500 \longrightarrow 400 + 100 \\
\end{array}
$$

$$14 + 110 + 500$$

Conéctalo todo Forma una decena y una centena para sumar.

7 Mira el primer *Haz un modelo*. Escribe el valor de las centenas, las decenas y las unidades totales.

5 centenas = _____   11 decenas = _____   14 unidades = _____

8 Mira el último *Haz un modelo*. ¿Cuántas unidades, decenas y centenas hay? Completa los espacios en blanco.

14 = _____ unidades   110 = _____ decenas   500 = _____ centenas

9 ¿Qué es igual y qué es diferente sobre los números de los problemas 7 y 8?

_____

_____

10 ¿Cuál es el número total de rocas y minerales de la muestra? Muestra tu trabajo.

_____

Pruébalo Prueba otro problema.

11 ¿Cuánto es $649 + 184$? Muestra tu trabajo.

_____

Practica ▸ **Sumar números de tres dígitos**

Estudia el modelo de abajo. Luego resuelve los problemas 12 a 14.

Ejemplo

Hay 146 bomberos y 158 oficiales de policía
en un desfile. ¿Qué número total de bomberos
y oficiales de policía hay en el desfile?

Puedes mostrar tu trabajo en una recta numérica vacía.

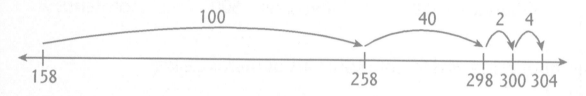

Respuesta _304 bomberos y oficiales de policía_

---

12 Un equipo de baloncesto vende 379 entradas
antes del partido. Otras 136 personas compran
entradas en la puerta. ¿Cuántas entradas vende
el equipo en total?

Muestra tu trabajo.

¿Cuántas centenas,
decenas y unidades
tiene cada número?

Respuesta _____

13 Los estudiantes de la maestra Estévez trabajan en el huerto de la escuela. Siembran 267 plantas de remolacha y 278 plantas de cebolla. ¿Cuál es el número total de plantas?

Muestra tu trabajo.

Recuerda: puedes sumar en cualquier orden.

Respuesta _____

14 Hay una caja de figuras de espuma en el salón de artes. Tiene 356 cuadrados y 304 círculos. ¿Qué problema de suma muestra cuántas figuras de espuma hay en total?

¿Qué significa el 0 en 304?

A $600 + 5 + 10$

B $600 + 50 + 10$

C $600 + 90 + 6$

D $300 + 50 + 6$

Damián eligió **A** como respuesta. Esta respuesta es incorrecta. ¿Cómo obtuvo Damián su respuesta?

_____

_____

_____

Practica ▶ **Sumar números de tres dígitos**

Resuelve los problemas.

1 ¿Cómo puedes mostrar 203 + 160?
Encierra en un círculo las respuestas correctas.

A 300 + 60 + 3

B 300 + 90

C 200 + 100 + 60 + 3

D 3 + 60 + 300

2 Juana escribe 700 + 90 + 9 para sumar dos
números de tres dígitos. ¿Qué dos números podría
sumar? Encierra en un círculo la respuesta correcta.

A 354 + 455

B 396 + 313

C 521 + 278

D 590 + 290

3 Halla 563 + 127. Completa la tabla.
Luego completa la ecuación.

Centenas	Decenas	Unidades

_____ centenas + _____ decenas + _____ unidades = _____

4 Escribe los números que faltan en la recta numérica vacía. Luego escribe la ecuación de suma que la recta numérica muestra.

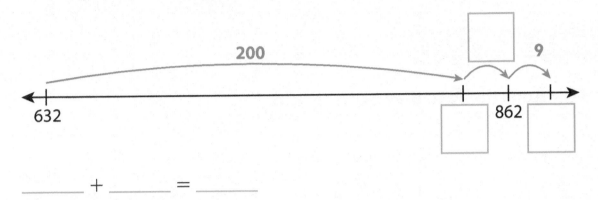

_____ + _____ = _____

Usa la información del recuadro para los problemas 5 y 6.

5 Carmen tiene 172 fotos de su familia. También tiene 153 fotos de sus amigos. ¿Qué álbum de fotos contendrá todas sus fotos?

Muestra tu trabajo.

> ¡Elige un álbum!
>
> Álbum A: contiene 225 fotos.
>
> Álbum B: contiene 275 fotos.
>
> Álbum C: contiene 375 fotos.

_____

6 Escribe tu propio problema sobre los álbumes de fotos del problema 5. Pide a un compañero que resuelva tu problema.

_____

_____

_____

 **Ahora puedes sumar números de tres dígitos. Incluye esto en la tabla de progreso de la página 59.**

Ⓖ Usa lo que sabes

Usa bloques de base diez para restar.

Sonia tiene 368 cartas de mascotas.
Dora tiene 243 cartas. ¿Cuántas
cartas tiene Sonia más
que Dora?

a. ¿Cuántas cartas tiene Dora? Escribe el número en centenas,
decenas y unidades.

_____ centenas _____ decenas _____ unidades

b. El modelo muestra las cartas de Sonia. Tacha las centenas,
las decenas y las unidades para restar las cartas de Dora.

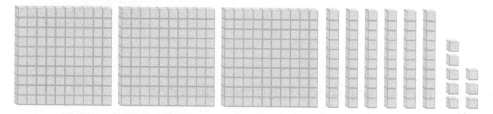

c. ¿Qué bloques quedaron?

_____ centena _____ decenas _____ unidades

d. ¿Qué muestran los bloques que quedaron?

_____

e. ¿Cuántas cartas más tiene Sonia? _____

A veces se tiene que reagrupar números de tres dígitos para restar.

Hay suficientes centenas, decenas y unidades para restar 358 − 243 sin reagrupar.

centenas	decenas	unidades
3	5	8
2	4	3

$3 > 2$ $5 > 4$ $8 > 3$

No hay suficientes unidades en 358 para restar 249 sin reagrupar.

centenas	decenas	unidades
3	5	8
2	4	9

$3 > 2$ $5 > 4$ $8 < 9$

Se necesitan más unidades para restar 9.

Reagrupa una decena en 358 para obtener 10 unidades más.

centenas	decenas	unidades
3	5̸ 4	18
− 2	4	9
1	0	9

Piensa:
$300 + 50 + 8 = 300 + 40 + 18$

La diferencia es 1 centena, 0 decenas, 9 unidades, o 109.

Reflexiona Trabaja con un compañero.

1 **Conversa** ¿Hay suficientes unidades en 465 para restar 328? ¿Qué se tiene que hacer?

Escribe _____

_____

_____

Aprende ▸ **Restar centenas, decenas y unidades**

Lee el problema. Luego mostrarás la resta de varias maneras.

Hay 450 excursionistas en el campamento Cody. Un día, 218 excursionistas hicieron proyectos de arte. El resto hizo deportes. ¿Cuántos excursionistas hicieron deportes ese día?

▶ **Haz un dibujo** Se puede restar usando bloques de base diez.

Muestra 450.

Reagrupa 1 decena como 10 unidades.

Luego quita 218.

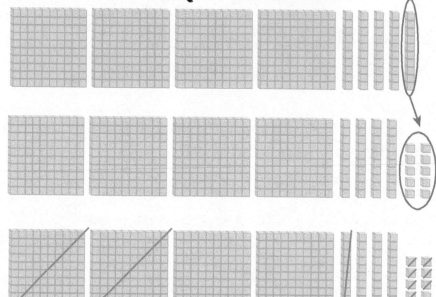

▶ **Haz un modelo** Se pueden restar centenas, decenas y unidades.

Piensa: 218 = 200 + 10 + 8

$$\begin{array}{r} 450 \\ -\ 200 \\ \hline 250 \\ -\ 10 \\ \hline 240 \\ -\ 8 \\ \hline ? \end{array}$$

Conéctalo todo Halla la diferencia.

2 Mira *Haz un dibujo*. ¿Por qué necesitas cambiar 1 decena por 10 unidades?

_____

_____

3 Completa los recuadros para hallar 450 − 218.

$$\begin{array}{rrrrr}
400 & + & \boxed{} & + & 10 \\
-\ 200 & + & 10 & + & 8 \\
\hline
\boxed{} & + & \boxed{} & + & \boxed{}
\end{array}$$

4 ¿Cuántos excursionistas hicieron deportes? _____

5 **Conversa** Mira *Haz un modelo*. ¿En qué se parece la manera en que se resolvió el problema a la que se mostró en *Haz un dibujo*? ¿En qué se diferencia?

Escribe _____

_____

_____

_____

Pruébalo Prueba con otro problema.

6 Jaime tiene 572 estampillas. Leo tiene 347 estampillas. ¿Cuántas estampillas tiene Leo más que Jaime? Muestra tu trabajo.

_____

_____

Aprende Reagrupar para restar

Lee el problema. Luego representarás la resta.

En la escuela Brown hay 305 niñas y 276 niños.
¿Cuántas niñas más que niños hay?

▶ **Haz un dibujo** Puedes usar bloques de base diez
para reagrupar.

$305 = 300 + 5$

$305 = 200 + 100 + 5$

$305 = 200 + 90 + 15$

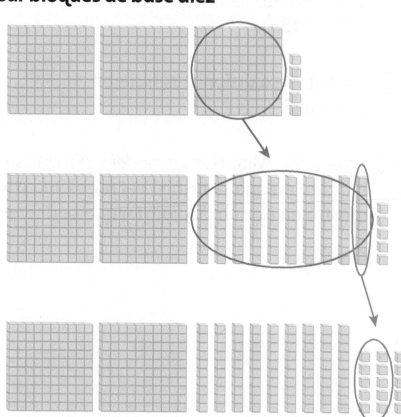

▶ **Haz un modelo** Puedes usar una recta numérica vacía.

Piensa en la resta como una suma: $276 + ? = 305$.

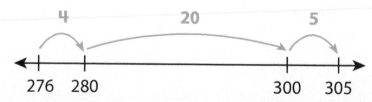

7 Compara los dígitos en cada lugar en 305 y 276.
Escribe $<$ o $>$ en cada recuadro.

3 centenas + 0 decenas + 5 unidades
2 centenas + 7 decenas + 6 unidades

3 ☐ 2   0 ☐ 7   5 ☐ 6

8 ¿Cómo sabes por tu respuesta al problema 7
que debes reagrupar dos veces?

_____

_____

9 ¿Cuántas centenas, decenas y unidades
quedan después de agrupar? Completa
la tabla. Luego resta.

100	10	1
☐	☐	☐
− 2	7	6
☐	☐	☐

10 ¿Cuántas más niñas que

niños hay? _____

Pruébalo **Prueba con otro problema.**

11 En la escuela Taylor, los estudiantes van a clases
180 días. Ya estuvieron 136 días. ¿Cuántos días de
clases quedan? Muestra tu trabajo.

_____

_____

Practica ▶ **Restar números de tres dígitos**

Estudia el modelo de abajo. Luego resuelve los problemas 12 a 14.

Ejemplo

Carla tenía 725 rosas. Usó algunas para hacer una carroza para un desfile. Ahora tiene 142 rosas. ¿Cuántas rosas usó para la carroza?

Se puede mostrar el trabajo en una recta numérica.

725 − 142 es lo mismo que 142 + ? = 725

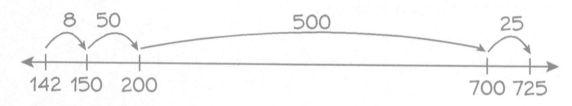

8   50   500   25

142 150   200   700 725

$8 + 50 + 500 + 25 = 583$

Respuesta Carla usó 583 rosas.

---

12 Gustavo tenía 872 monedas de 1¢. Donó 725 monedas de 1¢ al refugio de animales. ¿Cuántas monedas de 1¢ le quedan a Gustavo?

Muestra tu trabajo.

¿Necesitas reagrupar? Si es así, ¿por qué?

Respuesta _____

13 Los estudiantes necesitan pintar 500 calabazas para la feria. Ya pintaron 193. ¿Cuántas calabazas faltan por pintar?

Muestra tu trabajo.

¿Cómo puedes sumar para hallar la respuesta?

Respuesta _____

14 La señora Díaz tenía 185 calcomanías. Regaló algunas. Ahora tiene 139 calcomanías. ¿Cuántas calcomanías regaló la señora Díaz?

A 46

B 54

C 56

D 146

Puedes sumar o restar para hallar la respuesta.

Rosa eligió la **D** como respuesta. Esta respuesta es incorrecta. ¿Cómo obtuvo Rosa su respuesta?

_____

_____

_____

Practica ▶ Restar números de tres dígitos

Resuelve los problemas.

1 Para cada problema de resta, di si se necesita reagrupar las decenas para obtener más unidades. Luego, di si se necesita reagrupar las centenas. Encierra en un círculo *Sí* o *No* en Decenas y en Centenas para cada problema.

	Decenas		Centenas	
a. 932 − 845	Sí	No	Sí	No
b. 673 − 581	Sí	No	Sí	No
c. 392 − 270	Sí	No	Sí	No
d. 557 − 148	Sí	No	Sí	No

2 Completa los espacios en blanco para hallar 826 − 635.

100	10	1
☐	12	6
− 6	3	5
☐	☐	☐

3 Carina tenía algunas conchas de mar. Encontró 132 más. Ahora tiene 215 conchas de mar. ¿Cuántas conchas de mar tenía al comienzo? Circula la respuesta correcta.

A 83

C 223

B 123

D 347

4 Suma para hallar la diferencia. Completa los recuadros en blanco.

524 − 395 = ?

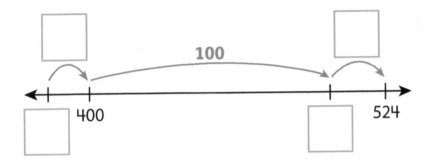

524 − 395 = _____

5 El grupo que reúna 750 puntos de lectura gana una fiesta con pizzas. ¿Qué grupo tiene más puntos? ¿Cuántos puntos más tiene?

Muestra tu trabajo.

Grupo	Puntos de lectura
A	585
B	612

_____

6 Mira el problema 5. Benito dice que el grupo B necesita 148 puntos más para tener una fiesta con pizzas. ¿Tiene razón? Explica.

_____

_____

_____

_____

✓ **Comprueba tu progreso** **Ahora puedes restar números de tres dígitos. Incluye esto en la tabla de progreso de la página 59.**

Usa lo que sabes

Suma tres números.

Laura sigue instrucciones para hallar la clave secreta de la búsqueda de un tesoro.

- Empieza en el roble. Da 36 pasos hacia la cerca.

- Gira a la derecha. Da 28 pasos.

- Gira a la izquierda. Da 42 pasos.

- El número total de pasos es la clave secreta.

¿Cuál es la clave secreta?

a. Separa cada número en decenas y unidades. Escribe tus respuestas en el recuadro.

b. Suma las decenas. ¿Qué obtienes? _____

c. Suma las unidades. ¿Qué obtienes? _____

$$36 = \underline{\quad} + \underline{\quad}$$

$$28 = \underline{\quad} + \underline{\quad}$$

$$42 = \underline{\quad} + \underline{\quad}$$

d. ¿Cuál es el código secreto? Explica cómo obtuviste tu respuesta.

_____

_____

Hay varias maneras de sumar tres números.

Aprendiste a separar los tres números y luego sumar las decenas y las unidades.

También puedes sumar dos números de una sola vez.

$$36 \quad + \quad 28 \quad + \quad 42$$
$$64 \qquad + \quad 42 \quad = 106$$

Puedes buscar dos números que formen una decena. Suma primero esos dos. Luego suma el tercer número.

$$36 \quad + \quad 28 \quad + \quad 42 \qquad \longleftarrow \boxed{\begin{array}{l} 8 + 2 = 10, \\ \text{entonces suma} \\ 28 + 42 \text{ primero.} \end{array}}$$
$$36 \quad + \qquad 70 \qquad = 106$$

A veces hay dos números que forman 100. Suma estos números primero. Luego suma el tercer número.

$$25 \quad + \quad 59 \quad + \quad 75$$
$$100 \quad + \quad 59 \quad = 159$$

Reflexiona **Trabaja con un compañero.**

1 **Conversa** ¿Por qué cambiarías el orden en que se suman tres números? Explica con $37 + 21 + 63$.

Escribe _____

_____

_____

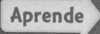
Aprende ▶ **Sumar cuatro números de dos dígitos**

Lee el problema. Luego explorarás maneras de sumar cuatro números.

Rodrigo y Ana llenan globos con agua para un juego. Rodrigo llena 16 globos rojos y 41 globos blancos. Ana llena 22 globos rojos y 39 globos blancos. ¿Cuántos globos llenan en total?

▶ **Haz un modelo** **Puedes separar los números en decenas y unidades.**

Separa cada número en decenas y unidades.
Luego suma los pares de números.

Decenas	Unidades
1 ⟩5 4	6 ⟩7 1
2 ⟩5 3	2 ⟩11 9

5 + 5 decenas   7 + 11 unidades

▶ **Haz un modelo** **Puedes sumar dos números de una sola vez.**

Busca las unidades que forman 10.
Suma primero esos números.

16 + 41 + 22 + 39

38 + 80

▶ **Conéctalo todo** **Suma cuatro números de dos dígitos.**

2 Mira el primer *Haz un modelo*. Completa los espacios en blanco para hallar el total de globos.

_____ decenas + _____ unidades = _____

3 El recuadro muestra cómo sumó Elena los números. ¿En qué se parece esto a sumar en el primer *Haz un modelo*?

$$\begin{array}{r} 10 + 6 \\ 40 + 1 \\ 20 + 2 \\ 30 + 9 \\ \hline 100 + 18 \end{array}$$

_____

_____

_____

4 Mira el segundo *Haz un modelo*. ¿Por qué están agrupados 41 y 39?

_____

_____

5 Completa el trabajo en el segundo *Haz un modelo* para hallar el número de globos que Rodrigo y Ana inflan en total.

_____

▶ **Pruébalo** **Prueba otro problema.**

6 Los puntajes de Yolanda en el boliche son 45, 62, 68 y 55. ¿Cuál es el total de los cuatro puntajes de Yolanda? Muestra tu trabajo.

_____

Practica ▶ **Sumar varios números de dos dígitos**

Estudia el modelo de abajo. Luego resuelve los problemas 7 a 9.

Ejemplo

El grupo del profesor Cárdenas hizo una caminata por el parque. La tabla muestra lo que recolectaron. ¿Cuántos objetos recolectaron en total?

Rocas	Piñas de pino	Plumas	Bellotas
52	37	12	63

Se pueden sumar dos números de una sola vez.

37 + 63 = 100

52 + 12 = 64

164

Respuesta El grupo recolectó 164 objetos.

7 Hay 28 loros y 23 guacamayos en la pajarera del zoológico. También hay 22 tucanes y 25 pericos. ¿Cuál es el número total de pájaros?

Muestra tu trabajo.

¿Forman una decena algunos de los dígitos de las unidades?

Respuesta _____

8 Es el día de las competencias en el parque de la ciudad. La tabla muestra cuántas personas se inscribieron para cada competencia. ¿Cuál es el número total de personas que se inscribieron?

Puedes separar los números en decenas y unidades.

Carrera de 1 milla	Carrera en bicicleta	Natación
66	49	37

Muestra tu trabajo.

Respuesta _____

---

9 Diana suma el número de latas que hay en los botes de reciclaje de la escuela. ¿Cuál es el total?

28 + 16 + 32 + 2 = ?

¿Cuántas decenas hay en cada número?

A 68

B 76

C 78

D 96

Jaime eligió la **D** como respuesta. Esta respuesta es incorrecta. ¿Cómo obtuvo Jaime su respuesta?

_____

_____

_____

Practica ▸ **Sumar varios números de dos dígitos**

Resuelve los problemas.

1 Completa cada ecuación con un número del recuadro de la derecha.

a. $45 + \boxed{} = 100$

| 39 |
| 55 |
| 77 |

b. $\boxed{} + 23 = 100$

c. $61 + \boxed{} = 100$

2 Un tren tiene cuatro vagones. El número de personas en cada vagón es 25, 18, 24 y 15. ¿Cuáles de las oraciones de abajo son verdaderas? Encierra en un círculo todas las respuestas correctas.

A El número de personas que hay en dos de los vagones suma 40.

B Hay más de 100 personas en el tren.

C Hay menos de 100 personas en el tren.

D Hay 82 personas en el tren.

3 En un parque hay 25 robles, 25 arces, 25 olmos y 32 pinos. ¿Cuál es el número total de árboles? Encierra en un círculo la respuesta correcta.

A 57

B 97

C 107

D 117

Usa estas tarjetas numéricas para los problemas 4 a 6.

| 27 | 48 | 43 | 29 | 34 | 35 |

4 Pablo toma dos tarjetas que tienen dígitos en las unidades que forman una decena. ¿Qué dos tarjetas tomó? Explica.

_____

_____

5 Pablo pierde la tarjeta del 29. Tamara toma tres de las tarjetas que quedan. Sus tarjetas suman un total menor que 100. ¿Cuáles son las tres tarjetas? Muestra cómo hallar el total al sumar las decenas y las unidades.

_____

_____

6 Explica cómo decidiste qué tarjetas usar para el problema 5. Suma dos números a la vez para verificar tu respuesta.

_____

_____

✓ **Comprueba tu progreso** **Ahora puedes sumar varios números de dos dígitos. Incluye esto en la tabla de progreso de la página 59.**

Unidad 2
MATEMÁTICAS
EN ACCIÓN

👥 Introducción

EPM1 Dan sentido
a los problemas y
perseveran en su
resolución.

Suma, resta y compara números

Estudia un problema y su solución

**Lee el siguiente problema sobre suma de números.
Luego estudia cómo Sweet T resolvió el problema.**

Orden de galletas

Sweet T está en la cocina de la dulcería Bake Stars.
Hace apuntes sobre una orden de galletas.

> **Orden de galletas**
> • Hacer entre 400 y 500 galletas.
> • Hacer galletas con chispas de chocolate, galletas
>   de maní y galletas de avena.
> • Hacer el mismo número de cada tipo de galleta.

¿Cuántas galletas de cada tipo debe hornear la
dulcería? Muestra por qué tus números tienen sentido.

Muestra cómo la solución de Sweet T corresponde a la lista.

Lista de chequeo para la solución de problemas

☐ Di lo que se sabe.

☐ Di lo que pide
el problema.

☐ Muestra todo
tu trabajo.

☐ Muestra que la
solución tiene sentido.

a. Haz un círculo alrededor de lo
que se sabe.

b. Subraya las cosas que hace falta averiguar.

c. Encierra en un cuadro lo que haces para
resolver el problema.

d. Pon una marca ✓ junto a la parte que
muestra que la solución tiene sentido.

La solución de Sweet T

▷ **Sé** que hay tres tipos de galletas.
El total está entre 400 y 500 galletas.

▷ **Tengo que hallar** 3 números que tengan
una suma de entre 400 y 500.

   Pruebo 100: 100 + 100 + 100 = 300.

   Pruebo 200: 200 + 200 + 200 = 600.

Usando 100 resultan muy pocas galletas. Usando 200 resultan demasiadas.

▷ 150 cae entre 100 y 200.

▷ **Hago un dibujo rápido** que me ayude
a sumar.

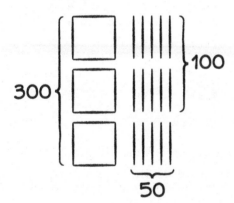

Dibujé 100 + 100 + 100 y 50 + 50 + 50.

▷ 300 + 100 + 50 = 450, y 450 cae entre
400 y 500.

Los números suman 450. Así que 150 funciona.

▷ **Aquí está lo que la dulcería puede hornear:**

   150 galletas con chispas de chocolate

   150 galletas de maní

   150 galletas de avena

Hay muchas maneras de resolver problemas. Piensa en cómo podrías resolver el problema de la "Orden de galletas" de una manera distinta.

Orden de galletas

Sweet T está en la cocina de la dulcería Bake Stars. Hace apuntes sobre una orden de galletas.

> ### Orden de galletas
> • Hacer entre 400 y 500 galletas.
> • Hacer galletas con chispas de chocolate, galletas de maní y galletas de avena.
> • Hacer el mismo número de cada tipo de galleta.

¿Cuántas galletas de cada tipo debe hornear la dulcería? Muestra por qué tus números tienen sentido.

▶ **Planea Contesta la siguiente pregunta para empezar a pensar en un plan.**

Fíjate en los números para los tres tipos de galletas en el ejemplo anterior. ¿Se podrían usar números mayores que estos? ¿Y menores que estos? Explica.

_____

_____

_____

Resuelve Halla una solución distinta al problema de la "Orden de galletas". Muestra todo tu trabajo en una hoja de papel aparte.

Tal vez quieras usar las sugerencias de abajo para empezar.

Sugerencias para resolver problemas

- **Modelos**

Centenas	Decenas	Unidades
1	?	?

Lista de chequeo

Asegúrate de...

☐ decir lo que se sabe.

☐ decir lo que pide el problema.

☐ mostrar todo tu trabajo.

☐ mostrar que la solución tiene sentido.

- **Banco de palabras**

sumar	restar	total	mayor que
suma	diferencia	comparar	menor que

- **Oraciones modelo**

  • Puedo buscar números _____

  • Puedo probar números _____

Reflexiona

Usa las prácticas de las matemáticas Comenta la siguiente pregunta con un compañero.

• **Razona con números** ¿Cómo pueden los números de la respuesta de muestra ayudarte a resolver este problema?

Resuelve este problema en una hoja de papel aparte. Hay distintas maneras en que lo puedes resolver.

Cajas de galletas

Sweet T está empaquetando una orden de 145 galletas con chispas de chocolate. Los dibujos de abajo muestran los tamaños de cajas que tienen disponibles en la dulcería. En cada caja caben diferentes cantidades de galletas.

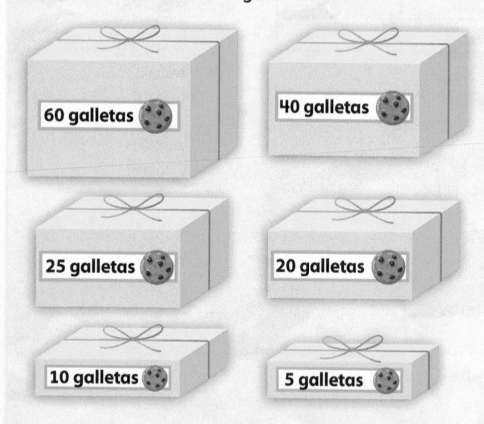

¿Cómo puede Sweet T empaquetar las galletas?

Planea y resuelve Halla una solución al problema de las "Cajas de galletas".

Decide qué cajas debe usar Sweet T para empaquetar las galletas.
• Explica por qué escogiste esas cajas.
• Muestra que tu respuesta tiene sentido.

Tal vez quieras usar las sugerencias de abajo para empezar.

Sugerencias para resolver problemas

● **Preguntas**

• ¿Sería mejor usar más cajas o menos cajas?

• ¿Debo asegurarme de llenar todas las cajas que use?

● **Banco de palabras**

sumar	suma	total
centena	decenas	unidades

Lista de chequeo

Asegúrate de...
☐ decir lo que se sabe.
☐ decir lo que pide el problema.
☐ mostrar todo tu trabajo.
☐ mostrar que la solución tiene sentido.

● **Oraciones modelo**

• Puedo usar _____ cajas.

• En la caja caben _____

• Usé estas cajas porque _____

Reflexiona

Usa las prácticas de las matemáticas Comenta la siguiente pregunta con un compañero.

● **Construye un argumento** ¿Cómo podrías explicar la razón por la que elegiste esa combinación de cajas?

Resuelve el problema en una hoja de papel aparte.

Frutas y verduras

A Sweet T le gusta hablar sobre números con los de la dulcería.

Estas son algunas de las cosas que dijo al final del mes pasado.

- Usamos más de 200 libras de verduras este mes.
- Usamos menos de 300 libras de frutas este mes.
- La cantidad total de frutas y verduras que usamos está entre 500 y 550 libras.

¿Cuántas libras de frutas podrían haber usado en la dulcería? ¿Cuántas libras de verduras?

▶ **Resuelve** **Halla la cantidad de frutas y verduras que podrían haber usado en la dulcería.**

- Di cuántas libras de frutas podrían haber usado.
- Di cuántas libras de verduras podrían haber usado.
- Muestra que el peso total está entre 500 y 550 libras.

▶ **Reflexiona**

Usa las prácticas de las matemáticas Comenta la siguiente pregunta con un compañero.

- **Sé preciso** ¿Cómo usaste palabras y símbolos para mostrar que tu respuesta tiene sentido?

Ensaladas de fruta

Sweet T notó un error que cometieron en la dulcería.
Hicieron 448 ensaladas de fruta para un cliente. El
cliente solo pidió 248 ensaladas de fruta. Esto es lo que
planean hacer con las ensaladas adicionales.

- Donar algunas ensaladas de fruta al centro juvenil.
- Dejar algunas ensaladas en la tienda. Regalarlas a
  los clientes.

¿Cuántas ensaladas de fruta deben donar los de la
dulcería? ¿Cuántas deben regalar?

▶ Resuelve Decide qué hacer con las ensaladas de fruta adicionales.

- Di cuántas deben ser donadas al centro juvenil.
- Di cuántas deben dejarse en la tienda.
- Explica por qué tus números tienen sentido.

▶ Reflexiona

Usa las prácticas de las matemáticas Comenta la
siguiente pregunta con un compañero.

- **Entiende los problemas** ¿Qué fue lo primero que hiciste
  para resolver este problema? ¿Por qué?

Resuelve los problemas.

1 Compara cada número con 436.

442   430   398   535

Escribe cada número en el recuadro correcto.

Menor que 436	Mayor que 436

2 Sara tiene 517 tarjetas de béisbol y 386 tarjetas de fútbol americano. Quiere hallar cuántas tarjetas tiene en total.
¿Cómo podría sumar 517 + 386?
Encierra en un círculo todas las respuestas correctas.

A $386 + 51 + 7$

B $500 + 300 + 10 + 80 + 7 + 6$

C $517 + 300 + 80 + 6$

D $800 + 90 + 13$

3 Pamela resolvió un problema de resta. Tuvo que reagrupar las decenas para restar las unidades. No reagrupó las centenas.
¿Cuál de estos podría ser el problema que resolvió Pamela?
Encierra en un círculo todas las respuestas correctas.

	A	B	C	D
	236	520	634	862
	− 118	− 427	− 251	− 523

4 El libro de Carlos tiene 343 páginas. Leyó 228 páginas. ¿Cuántas páginas le quedan por leer a Carlos?

Haz un modelo y escribe una ecuación para resolver el problema.

Respuesta _____ páginas

5 Completa la tabla para mostrar 863 de varias maneras. En la última fila, muestra una manera que sea distinta a las demás.

Centenas	Decenas	Unidades
8		3
0		3
6	6	

Prueba de rendimiento

Responde las preguntas. Muestra todo tu trabajo en una hoja de papel aparte.

Cuatro estudiantes quieren pedir boletos para jugar sus juegos preferidos en la feria de la escuela. Deben pedir algunos paquetes de 100, algunas hojas de 10 y algunos boletos individuales.

- La tabla de abajo muestra el número total de boletos que quiere cada estudiante.

- Copia la tabla en una hoja de papel aparte.

¿Cuántos paquetes de 100, hojas de 10 y boletos individuales pueden pedir los estudiantes para tener el número total de boletos que quieren? Completa tu tabla.

Lista de chequeo

☐ ¿Usaste el valor posicional correctamente?

☐ ¿Comprobaste tus respuestas?

☐ ¿Explicaste tus respuestas con palabras y números?

Nombre	Paquetes de 100	Hojas de 10	Boletos individuales	Total
Luis				555
Pedro				662
María				656
Antonio				593

Reflexiona

Busca la estructura ¿Cómo usaste lo que sabes sobre el valor posicional para resolver este problema?

Unidad 3
Medición y datos

Aprenderemos acerca de distintos instrumentos y unidades de medición.

Conexión a la vida real La medición se usa en muchas ocasiones. Tú y un amigo o amiga podrían medir la estatura de cada uno. Entonces pueden restar para saber cuánto más alto es uno de ustedes. O quizás te den 30 minutos para el almuerzo cada día. O quizás tengas 8 monedas con un valor total de 48 centavos.

En esta unidad Aprenderás cómo usar instrumentos de medición. Medirás la longitud en distintas unidades. También compararás distintas medidas, tales como longitud, tiempo y dinero.

✔ Comprueba tu progreso

Antes de comenzar esta unidad, marca las destrezas que ya conoces.

Puedo:

	Antes de la unidad	Después de la unidad
usar una regla para medir un objeto.	☐	☐
elegir la herramienta apropiada para medir un objeto.	☐	☐
medir el mismo objeto usando distintas unidades.	☐	☐
estimar la longitud de un objeto.	☐	☐
comparar longitudes para averiguar qué objeto es más largo y cuánto más largo es.	☐	☐
sumar y restar longitudes para resolver problemas.	☐	☐
medir longitudes y mostrar los datos en un diagrama de puntos.	☐	☐
resolver problemas con pictografías y gráficas de barras.	☐	☐
decir la hora y escribirla en intervalos de 5 minutos.	☐	☐
resolver problemas relacionados con dinero.	☐	☐

💭 Piénsalo bien

¿Qué significa medir la longitud?

Se puede hallar la longitud de los objetos, como la de un marcador.

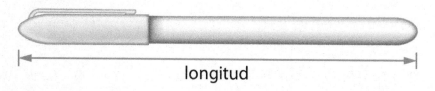

longitud

Piensa **Se pueden usar objetos para medir la longitud.**

Se pueden usar clips para medir la longitud de un marcador.

Alinea el borde del primer clip con el borde del marcador.

- No pongas el marcador en la mitad de los clips.

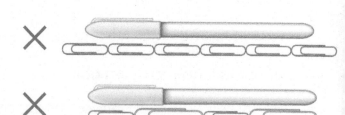

- No uses clips de diferentes tamaños.

- No dejes espacios entre los clips.

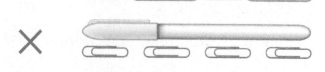

- No pongas clips sobre otros clips.

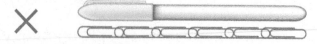

 ¿Cuántos clips caben debajo del marcador? _____

Piensa Puedes usar unidades del mismo tamaño para medir objetos.

Las pulgadas y los centímetros son dos unidades que se usan para medir la longitud.

La longitud de una moneda de 25¢ mide aproximadamente 1 **pulgada** (pulg.).

El meñique mide 1 **centímetro** (cm) de ancho, aprox.

> 1 pulgada es un poco más larga que 2 centímetros.

Una regla es una herramienta que se usa para medir la longitud.

> Esta regla no es de tamaño real.

Reflexiona Trabaja con un compañero.

1 **Conversa** ¿Por qué medirías la longitud de tu zapato con una regla en lugar de clips?

Escribe _____

_____

_____

_____

Piensa en ⟩ **Medir con fichas y reglas**

🔍 **Explora la idea** Puedes usar fichas de 1 pulgada para comprender una regla.

2 Usa las fichas que te dio tu maestro para hallar la longitud del cordel.

¿Cuántas fichas usaste? _____

3 Cada ficha mide 1 pulgada de largo.

¿Cuánto mide el cordel? _____

4 Numera las fichas que usaste de 1 a 6.

5 Coloca la ficha 1 sobre la regla de abajo. Colócala de modo que el lado izquierdo de la ficha quede alineado con el 0. Luego coloca las otras fichas en orden junto a la ficha 1.

```
0        1        2        3        4        5        6
pulgadas
```

6 ¿Qué notas sobre los números en tus fichas y en la regla?

_____

_____

¡Vamos a conversar!
Trabaja con un compañero.

7 ¿Dónde se pone la primera ficha cuando se mide el cordel?

_____

8 ¿Cómo se halla la longitud del cordel usando fichas?

_____

_____

9 Usa la regla para medir el cordel. ¿Qué número en la regla deberías alinear con el extremo izquierdo del cordel? _____

10 Ahora, ¿cómo se halla la longitud del cordel?

_____

_____

▶ **Prueba de otro modo** **Ahora usa fichas de 1 centímetro.**

11 Usa fichas de 1 centímetro para medir la longitud de este cordel. ¿Cuántas fichas usas? _____

12 Cada ficha mide 1 centímetro de largo.

¿Cuánto mide el cordel? _____ centímetros

13 Ahora usa el lado de la regla con centímetros para medir.

Basándote en ese número, ¿cuánto mide el cordel? _____

Conecta ▶ Ideas para medir con fichas y reglas

Comenta estos problemas con la clase y luego escribe las respuestas abajo.

14 Crea Marcela alineó fichas de 1 centímetro a lo largo de una tira de papel. Marcó el extremo de cada ficha. Escribe números en los espacios en blanco para terminar de marcar la regla.

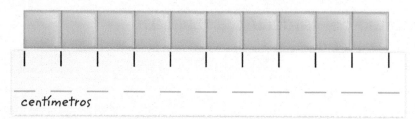

centímetros

15 Compara Tomás y Liliana hicieron una regla cada uno.

| | | | | | | | | | | | |
|0|1| |2| |3|4|5|6| |7| |8|9|
pulgadas

| | | | | | | | | | | |
|0|1|2| |3|4|5| |6|7|8| |9|
pulgadas

> Estas reglas no son de tamaño real.

Encierra en un círculo la regla que se hizo correctamente. ¿Cómo lo sabes?

_____

_____

16 Analiza Antonio dice que el crayón mide 8 centímetros de largo.

centímetros

¿Qué hizo mal Antonio?

_____

Ideas para medir con fichas y reglas

Combina todo **Usa lo que aprendiste para completar esta tarea.**

17 Para esta tarea, necesitarás fichas de 1 pulgada y
fichas de 1 centímetro.

Parte A   Usa fichas de 1 pulgada para hacer una regla.

```
┌─────────────────────────────────────────────┐
│ │                                             │
│ 0                                             │
│                                               │
└─────────────────────────────────────────────┘
```

¿Cuánto mide tu regla? _____

Parte B   Usa fichas de 1 centímetro para hacer una regla.

```
┌─────────────────────────────────────────────┐
│ │                                             │
│ 0                                             │
│                                               │
└─────────────────────────────────────────────┘
```

¿Cuánto mide tu regla? _____

Parte C   Explica los pasos que seguiste para hacer las reglas.

_____

_____

_____

_____

Lección 17 👥 Introducción
Mide la longitud

2.MD.A.1

Ⓖ Usa lo que sabes

Repasa cómo se mide la longitud con una regla.

Alex usa sus tijeras para recortar figuras.

¿Cuánto miden las tijeras en centímetros?

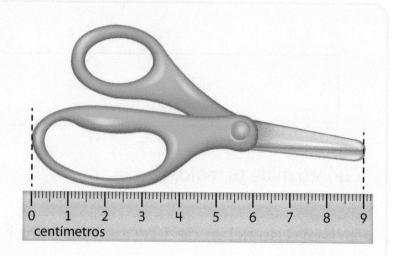

a. ¿Qué unidades muestra la regla? _____

b. ¿Qué número está alineado con el mango
de las tijeras? _____

c. ¿Cómo se usa una regla para medir las tijeras?

_____

_____

_____

d. ¿Cuánto miden las tijeras?

_____

160 Lección 17 Mide la longitud

©Curriculum Associates, LLC   Se prohíbe la reproducción.

Las reglas suelen mostrar tanto pulgadas como centímetros.

Muchas reglas muestran 12 pulgadas. Eso es igual a 1 **pie**.

Esta regla no es de tamaño real.

✏ ¿Cuántas pulgadas tiene la regla? _____

✏ ¿Cuántos centímetros tiene la regla? _____

Hay herramientas de medición más largas que la regla.

- Una regla de 1 yarda muestra 36 pulgadas.
  En una **yarda** hay 36 pulgadas.

- Una regla de 1 metro muestra 100 centímetros.
  En un **metro** hay 100 centímetros.

- Una cinta de medir puede mostrar
  pulgadas y centímetros.

▶ **Reflexiona** **Trabaja con un compañero.**

1 **Conversa** ¿En qué se parece una regla de 1 yarda a una regla de 12 pulgadas? ¿En qué se diferencia?

Escribe _____

_____

_____

Aprende **Medir la longitud**

Lee el problema. Luego verás algunas maneras de medir.

Elena quiere medir la longitud de una hoja de cuaderno. ¿Cuánto mide en pulgadas?

▶ **Mídelo** **Puedes hallar la longitud con fichas de 1 pulgada.**

Alinea el borde del papel con la primera ficha.

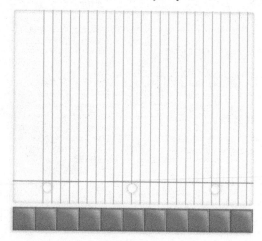

Estas fichas no son de tamaño real.

▶ **Mídelo** **Puedes medir la longitud con una regla.**

Alinea el borde del papel con el 0 de la regla de pulgadas.

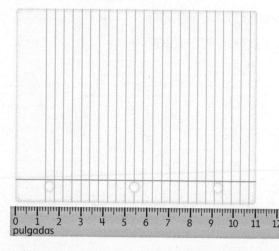

Esta regla no es de tamaño real.

Conéctalo todo Usa los modelos para resolver el problema.

2 Mira el primer *Mídelo*. ¿Cuántas fichas de 1 pulgada se usan? _____

3 Mira el segundo *Mídelo*. ¿Cuánto mide la hoja?

_____

4 ¿Cómo crees que es más fácil medir: con fichas o con regla? Explica.

_____

_____

5 **Conversa** ¿Sería igual la longitud del papel si se midiera con una regla de 1 yarda? ¿Por qué?

Escribe _____

_____

_____

Pruébalo Mide la llave en centímetros.

6 Mira las fichas de 1 centímetro. La llave

mide _____ centímetros.

7 Mira la regla de centímetros. La llave mide _____ centímetros.

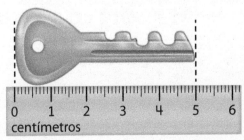

Aprende ▶ **Más maneras de medir la longitud**

Lee el problema. Luego verás algunas maneras de medir.

Pablo quiere medir la longitud de la cinta que usó para envolver este regalo.

¿Cuánto mide la cinta en centímetros?

▶ **Mídelo** **Puedes medir la longitud con una regla.**

> Las reglas de esta página no son de tamaño real.

Alinea el borde izquierdo de la cinta con el 0 de la regla.

Marca dónde termina la regla. Mueve la regla para que el 0 quede en tu marca. Repítelo hasta hallar la longitud.

▶ **Mídelo** **Puedes hallar la longitud con una regla de 1 metro.**

Alinea el borde izquierdo de la cinta con el 0 de la regla de 1 metro.

Conéctalo todo Usa los modelos para resolver el problema.

8 Observa el primer *Mídelo*. ¿A cuántas reglas es igual la longitud de la cinta? _____

9 ¿Cuántos centímetros hay en cada regla? _____

10 Escribe una ecuación para hallar la longitud de la cinta.

_____ cm + _____ cm + _____ cm = _____ cm

11 Observa la regla de 1 metro. ¿Cuánto mide la cinta?

_____ centímetros

12 **Conversa** ¿Por qué es más fácil medir la cinta con la regla de 1 metro que con la primera regla?

Escribe _____

_____

_____

Pruébalo Prueba con otro problema.

13 Encierra en un círculo los objetos que son más fáciles de medir con una regla de 30 centímetros. Subraya los objetos que son más fáciles de medir con una regla de 1 metro.

tu mano   cuerda de saltar   un lápiz

           tu estatura   este libro

Practica ▶ **Medir la longitud**

Estudia el siguiente modelo. Resuelve los problemas 14 a 16.

Ejemplo

Julián encontró un caracol. ¿Cuánto mide en centímetros?

Puedes usar una regla de centímetros. Alinea el caracol con el 0.

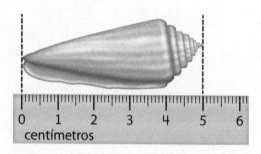

centímetros

Respuesta _____5_____ centímetros

14 Con una regla, mide en pulgadas la longitud del borrador.

Respuesta _____ pulgadas

¿Qué lado de la regla deberías usar?

15 Piensa en la longitud de los objetos reales.
Traza una línea desde cada objeto hasta la mejor
herramienta para medirlo.

reloj

¿Cuál herramienta
se usa para medir
objetos muy largos?

cinta de medir

regla

carro

---

16 ¿Cuánto mide el palito de manualidades en pulgadas?

¿La unidad que
Joaquín usó es
menor o mayor
que una pulgada?

A 4 pulgadas

B 5 pulgadas

C 10 pulgadas

D 11 pulgadas

Joaquín eligió **C**. No es la respuesta correcta.
¿Cómo la obtuvo?

_____

_____

Practica ▸ **Medir la longitud**

Resuelve los problemas.

1 Liliana quiere medir la longitud de su calculadora en centímetros. ¿Qué herramienta podría usar? Encierra en un círculo las respuestas correctas.

A regla de 30 centímetros

B regla de 1 yarda

C regla de 1 metro

D cinta de medir

2 ¿Cuál es la longitud de la lombriz en pulgadas? Encierra en un círculo la respuesta correcta.

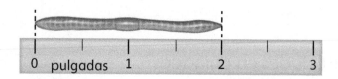

A 2 pulgadas   **C** 4 pulgadas

B 3 pulgadas   **D** 5 pulgadas

3 Ramona midió cada línea en centímetros. Al lado de cada línea escribió su longitud. ¿Midió en forma correcta? Elige *Sí* o *No* para cada longitud.

a. ———————————— 5 cm   Sí   No

b. ————— 3 cm   Sí   No

c. ——— 2 cm   Sí   No

d. ————— 4 cm   Sí   No

4 Marcos dice que la longitud del palito es de 6 centímetros. ¿Qué hizo mal Marcos? Encierra en un círculo la respuesta correcta.

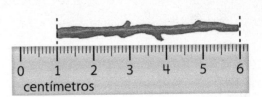
centímetros

A Midió en pulgadas.

B Usó el lado incorrecto de la regla.

C No alineó un extremo del palito con el 0.

D Debió haber usado una regla de 1 yarda.

5 Carina comenzó a dibujar un rectángulo que mide 4 pulgadas de largo. Completa el rectángulo de Carina para que tenga la longitud correcta.

6 Bruno quiere medir la longitud de su cama en centímetros. Dice que la mejor herramienta para hacerlo es la regla. ¿Estás de acuerdo? ¿Por qué?

_____

_____

_____

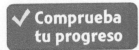
✓ Comprueba tu progreso **Ahora puedes resolver problemas usando una regla. Incluye esto en la tabla de progreso de la página 153.**

Piénsalo bien

¿Qué ocurre cuando mides el mismo objeto en pulgadas y también en pies?

Magda mide un trozo de tela. Ella dice que la longitud es 24 pulgadas.

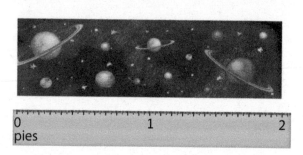

Nuria mide el mismo trozo de tela. Ella dice que la longitud es 2 pies.

Piensa **Se necesita una cantidad diferente de cada unidad para medir un objeto.**

El número de Magda es distinto al número de Nuria.

 ¿Cambió la longitud del trozo de tela? _____

Las dos niñas midieron usando diferentes unidades.

Magda midió en pulgadas. La tela tiene una longitud de 24 pulgadas.

Nuria midió en pies. La tela tiene una longitud de 2 pies.

Las reglas que aparecen en esta página no son de tamaño real.

Piensa Se necesita mayor cantidad de una unidad más pequeña para medir un objeto.

Piensa en la tela de la página anterior.
Se necesitaron 24 pulgadas para medirla.
Pero luego se necesitaron solo 2 pies.

Mira la regla. ¿Qué unidad es más grande:
1 pulgada o 1 pie?

_____

Usa "pie" si la longitud es 1 pie. Usa "pies" si la longitud es más de 1 pie.

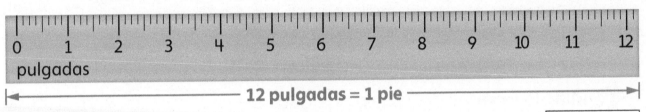

12 pulgadas = 1 pie

Esta regla no es de tamaño real.

Una pulgada es más corta que un pie.

Por eso se necesitan más pulgadas que pies para medir la tela.

Reflexiona Trabaja con un compañero.

1 **Conversa** Leonor midió la longitud de su cama en centímetros y también en metros. ¿Necesitó más metros o más centímetros para medirla?

Escribe _____

_____

_____

Piensa en ▸ **Comparar unidades de medida**

🔍 **Explora la idea** Puedes medir un objeto en pulgadas o en centímetros.

Usa un clip para los problemas 2 y 3.

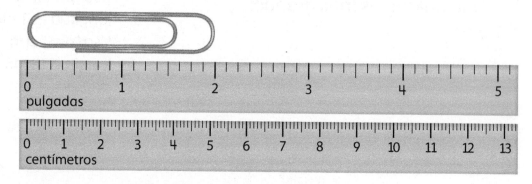

2 Mide la longitud del clip en pulgadas

El clip mide _____ pulgadas de largo.

3 Mide la longitud del clip en centímetros

El clip mide aproximadamente _____ centímetros de largo.

Usa la hoja para los problemas 4 y 5.

4 Mide la longitud de la hoja en centímetros.

La hoja mide _____ centímetros de largo.

5 Mide la longitud de la hoja en pulgadas.

La hoja mide aproximadamente _____ pulgadas de largo.

¡Vamos a conversar!
Trabaja con un compañero.

6 ¿Se necesitan menos pulgadas o menos centímetros para medir la longitud de un clip?

_____

7 ¿Se necesitan menos pulgadas o menos centímetros para medir la longitud de una hoja?

_____

8 Si mides la longitud de tu libro de matemáticas, ¿necesitas menos pulgadas o menos centímetros? ¿Por qué?

_____

_____

_____

Prueba de otro modo Compara otras unidades.

9 ¿Se necesitan menos borradores o menos botones para medir tu lápiz? ¿Por qué?
Encierra en un círculo la respuesta correcta.

10 ¿Se necesitan más pinzas para el cabello o más crayones para medir la longitud del escritorio?
Encierra en un círculo la respuesta correcta.

Conecta Ideas sobre la comparación de unidades

Habla de estas preguntas en clase. Luego escribe tus respuestas.

11 **Analiza** Carlos mide un cuadro usando como unidades peines y monedas de 25 centavos. La longitud del cuadro es 3 unidades de un tipo y 18 unidades del otro tipo. ¿Qué unidad usó él cuando obtuvo una medida de 3 unidades? Explica.

_____

_____

12 **Compara** El cuarto de José mide 4 yardas de largo. Él también lo mide en pies. ¿Medirá el cuarto de José más yardas o más pies. Explica.

_____

_____

_____

13 **Explica** Cristina tiene una cinta roja de 12 pulgadas de largo. Tiene también una azul de 12 centímetros de largo. Ella dice que las dos cintas son del mismo largo. ¿Estás de acuerdo? Explica.

_____

_____

_____

Aplica Ideas sobre la comparación de unidades

Combina todo **Resuelve, usando lo que has aprendido.**

14 Luis mide el largo de su modelo de carro de carreras.

0 1 2 3 4 5 6 7 8 9 10 11 12 13 14 15 16 17 18 19 20 21 22 23 24 25 26 27 28 29 30 31 32 33 34 35 36

Pulgadas   1 pie   Yardas   2 pies   3 pies

> Esta regla no es
> de tamaño real.

Parte A ¿Cuál es el largo del carro de Luis? _____ pies

Parte B ¿Cuál es el largo del carro de Luis? _____ yarda(s)

Parte C ¿De qué unidades necesitarías la mayor cantidad para medir el carro de Luis? Haz un círculo alrededor de la respuesta correcta.

      pulgadas   centímetros   yardas   pies

Parte D ¿De qué unidades necesitarías la menor cantidad para medir el carro de Luis? Haz un círculo alrededor de la respuesta correcta.

      pulgadas   centímetros   yardas   pies

Piénsalo bien

¿Qué significa estimar?

A veces no necesitas una medida exacta.
Puedes usar las matemáticas que conoces para hacer una **estimación**.

Estos son algunos objetos que puedes usar para hacer estimaciones.

1 centímetro	1 pulgada	1 pie	1 metro o 1 yarda

aproximadamente el ancho de tu dedo meñique	aproximadamente el ancho de una moneda de 25¢	aproximadamente la longitud de una barra de pan	aproximadamente el ancho de una puerta

Piensa Usa lo que sabes sobre las unidades para estimar la longitud.

Tomás quiere estimar la longitud de su carrito.
Cree que 2 monedas de 25¢ caben debajo
de su carrito.

¿Es la longitud del carrito más larga o más corta

que 2 monedas de 25¢? _____

¿Cuál crees que es una buena estimación para la
longitud del carrito de Tomás en pulgadas?

_____

Piensa Usa las medidas que ya conoces para estimar la longitud.

Julia quiere estimar la longitud de su caja de lápices.
Sabe que un marcador mide aproximadamente 14 centímetros
de largo.

Julia piensa en cómo se vería un marcador al lado de su caja
de lápices.

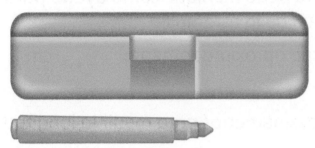

¿Qué describe mejor la longitud de la caja de lápices?
Marca todas las respuestas correctas.

☐ menor que 14 cm   ☐ mayor que 14 cm

☐ menor que 28 cm   ☐ mayor que 28 cm

Reflexiona Trabaja con un compañero.

1 **Conversa** Anita estima que la caja de lápices de Julia mide
30 centímetros de largo. ¿Es esta una buena estimación?
Explica por qué.

Escribe _____

_____

_____

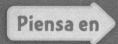
| Piensa en > | ## Usar diferentes unidades para estimar la longitud |

🔍 **Explora la idea** **Usa distintas unidades como ayuda para estimar la longitud.**

Usa la estampilla para responder los problemas 2 y 3.

2 Usa el ancho de tu dedo meñique como ayuda para estimar la longitud de la estampilla.

La estampilla mide aproximadamente _____ cm de largo.

longitud

3 Usa una regla de centímetros para medir la longitud de la estampilla.

¿Cuál es la longitud real?

_____ cm de largo

Usa la pinza para el cabello y la cinta para responder los problemas 4 y 5.

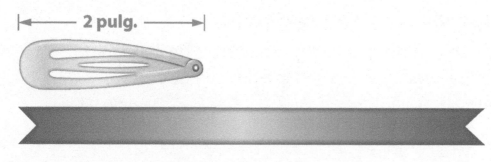

|← 2 pulg. →|

4 Estima la longitud de la cinta.

La cinta mide aproximadamente _____ pulgadas de largo.

5 Usa una regla de 12 pulgadas para medir la longitud de la cinta.

¿Cuál es la longitud real? _____ pulgadas de largo

¡Vamos a conversar! Resuelve los siguientes problemas en grupo.

6 ¿Cómo estimaste la longitud de la estampilla?

_____

7 ¿Cómo estimaste la longitud de la cinta?

_____

_____

8 ¿Cómo se compara tu estimación con la longitud real de la cinta?

_____

_____

9 Conversa **Trabaja con un compañero.**
¿Cuándo estimarías una longitud en lugar de medir la longitud exacta?

Escribe _____

_____

▶ Prueba de otro modo Estima la longitud usando distintas unidades.

10 La longitud del escritorio de tu maestro

Estimación: _____ pies   Real: _____ pies

11 La longitud de la pared del salón de clases

Estimación: _____ metros   Real: _____ metros

Conecta ❯ **Ideas sobre la estimación de la longitud**

Conversa sobre estas preguntas con la clase. Luego escribe tus respuestas.

12 Explica Estima la longitud de tu brazo. Usa una de las unidades del recuadro para hacer tu estimación.

Escribe tu estimación. Explica cómo hiciste tu estimación.

> centímetros
> pulgadas
> pies
> metros

_____

_____

_____

13 Analiza Daniel estima que la longitud de un crayón es de aproximadamente 4 pulgadas. Mide el crayón y dice que tiene una longitud de 10 pulgadas. ¿Crees que su estimación o su medición es incorrecta? ¿Por qué?

_____

_____

_____

14 Identifica ¿Cuál es la mejor estimación para la longitud de un subibaja? Marca tu respuesta.

☐ 30 pulgadas   ☐ 100 yardas   ☐ 4 metros

Explica cómo hiciste tu estimación.

_____

_____

_____

Ideas sobre la estimación de la longitud   181...

Aplica **Ideas sobre la estimación de la longitud**

Combina todo **Usa lo que aprendiste para completar la tarea.**

15 La Sra. Gómez hizo la lista de longitudes que se muestra a la derecha.

> **Longitudes de los objetos**
>
> lápiz nuevo   19 centímetros
> nota adhesiva   3 pulgadas
> cartón de
>   huevos   1 pie
> altura de una
>   puerta   2 metros

Parte A Estima la longitud de un objeto de tu salón de clases. Usa un objeto de la lista de la Sra. Gómez como ayuda para hacer tu estimación. Anota tus elecciones abajo.

Mi objeto: _____

Objeto que usé para estimar: _____

Mi estimación: _____

Parte B Explica cómo hallaste tu estimación.

_____

_____

_____

Parte C Usa una regla, una regla de 1 yarda o una regla de 1 metro para medir la longitud real de tu objeto.

Longitud real del objeto: _____

Parte D ¿Cómo se compara la longitud real con tu estimación?

_____

_____

_____

Usa lo que sabes

Sabes medir la longitud.

Liliana encontró esta cuchara y este tenedor en su juego de té.

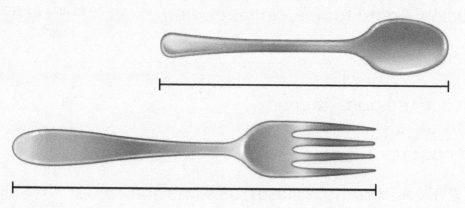

Mide cada objeto en centímetros. ¿Qué objeto es más largo?

a. ¿Cuánto mide la cuchara? _____ centímetros

b. ¿Cuánto mide el tenedor? _____ centímetros

c. ¿Qué objeto es más largo? _____

d. Explica cómo sabes qué objeto es más largo.

_____

_____

_____

¿Cuál es la diferencia entre la longitud de la cuchara
y la longitud del tenedor?

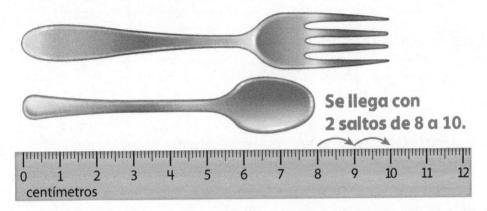

**Se llega con
2 saltos de 8 a 10.**

centímetros

El tenedor es _____ centímetros más largo que la cuchara.

La cuchara es _____ centímetros más corta que el tenedor.

▶ **Reflexiona Trabaja con un compañero.**

1 Conversa Julia y Marcos quieren hallar la diferencia entre
sus estaturas. Explica cómo podrían hacerlo.

Escribe _____

_____

_____

Aprende Hallar diferencias entre longitudes

Lee el problema. Luego explorarás maneras de hallar la diferencia entre longitudes.

Nicolás y Juana tienen un trozo de cinta cada uno.

Nicolás   Juana

¿Quién tiene el trozo de cinta más largo? ¿Cuánto más largo es?

▶ **Mídelo** Puedes medir cada trozo de cinta.

Mide cada trozo de cinta usando centímetros.

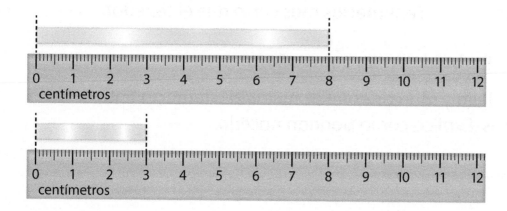

▶ **Haz un modelo** Puedes hacer un diagrama de barras.

Puedes hacer un diagrama de barras para comparar las longitudes.

Longitud de la cinta de Nicolás	
Longitud de la cinta de Juana	?

Conéctalo todo **Escribe una ecuación para hallar la diferencia.**

2 ¿Cuál es la longitud del trozo de cinta de cada persona?
Escribe los números en el diagrama de barras.

Longitud de la cinta de Nicolás	
_____ centímetros	
Longitud de la cinta de Juana _____ centímetros	?

3 ¿Quién tiene el trozo de cinta más largo? Explica cómo lo sabes.

_____

4 Escribe una ecuación que puedas usar para hallar la diferencia
entre las longitudes. Luego halla la diferencia.

_____

5 Completa la oración para comparar las cintas de Nicolás y Juana.

La cinta de _____ es _____ centímetros

más larga que la cinta de _____ .

Pruébalo **Prueba con otro problema.**

Usa estas calcomanías para los problemas 6 y 7.

6 Encierra en un círculo la
calcomanía más larga.

7 Mide y escribe la longitud de
cada calcomanía en centímetros.
¿Cuánto más larga es la
calcomanía larga que la corta?

¡Buen trabajo!

¡Bien hecho!

_____

_____

Aprende **Maneras de comparar longitudes**

Lee el problema. Luego explorarás algunas maneras de comparar longitudes.

¿Cuánto más corto en pulgadas es el borrador que el crayón?

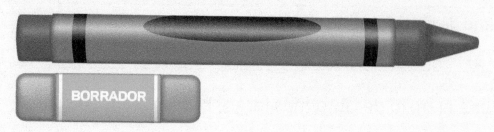

▶ **Mídelo** **Puedes medir cada objeto y hallar la diferencia.**

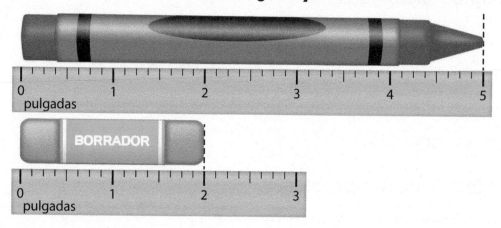

▶ **Mídelo** **Puedes medir la diferencia.**

Alinea un extremo del borrador y el crayón.
Luego usa una regla para medir la diferencia.

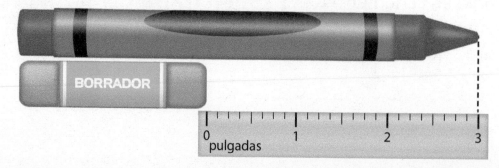

Conéctalo todo Halla la diferencia.

8 Mira el primer *Mídelo*. Explica cómo hallar cuánto más corto es el borrador que el crayón.

_____

_____

9 ¿Cuánto más corto es el borrador que el crayón?

_____

10 ¿Qué se mide en el segundo *Mídelo*?

_____

_____

11 **Conversa** Carla dice que no siempre se puede usar el método que se muestra en el segundo *Mídelo*. ¿Estás de acuerdo? Explica.

Escribe _____

_____

_____

Pruébalo Prueba con otro problema.

12 Enrique tiene dos clips.

Encierra en un círculo el clip más corto. ¿Cuántas pulgadas más corto es?

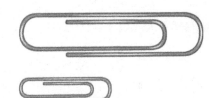

_____

Practica ▶ **Compara longitudes**

Estudia el modelo de abajo. Luego resuelve los problemas 13 a 15.

Ejemplo

Jorge mide 52 pulgadas de alto. Su hermana Sofía mide 43 pulgadas de alto. ¿Cuánto más alto es Jorge que Sofía?

Puedes mostrar tu trabajo con un diagrama de barras y una ecuación.

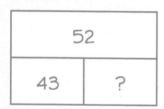

$52 - 43 = 9$

Respuesta _Jorge es 9 pulgadas más alto que Sofía._

---

13 Ana mide las tiras de papel de abajo en centímetros. ¿Cuál es la diferencia entre las longitudes de las tiras de papel?

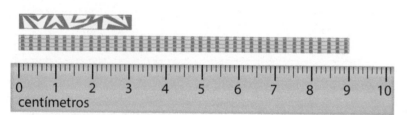

La diferencia entre las longitudes de las tiras de papel es cuánto más larga o más corta es una que la otra.

Muestra tu trabajo.

Respuesta _____

14 Encierra en un círculo el clavo más corto. Luego di cuánto más corto es. Mide usando centímetros.

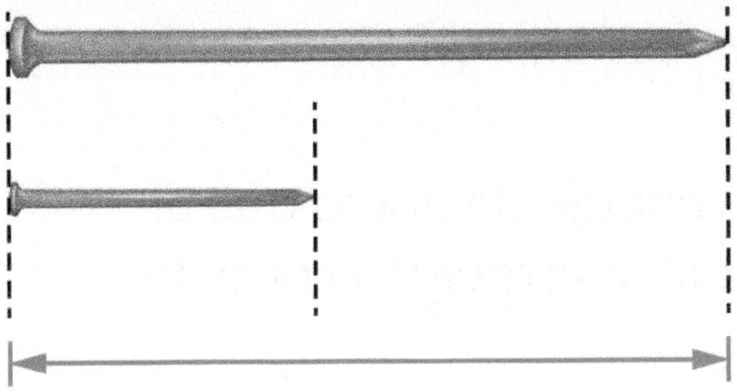

¿Qué ecuación puedes escribir para hallar la respuesta?

Muestra tu trabajo.

Respuesta _____

15 Tomás tiene un trozo de cordel que mide 3 pulgadas de largo. ¿Qué trozo de cordel es 1 pulgada más corto que el cordel de Tomás?

A

B

C

D

¿Será la longitud del trozo de cordel correcto mayor o menor que 3 pulgadas?

Rubén eligió la respuesta **A**. Esta respuesta es incorrecta. ¿Cómo obtuvo Rubén la respuesta?

_____

_____

_____

Practica ▶ Compara longitudes

Resuelve los problemas.

1 ¿Cuánto más largo en pulgadas es el vendaje de abajo que el vendaje de arriba? Encierra en un círculo la respuesta correcta.

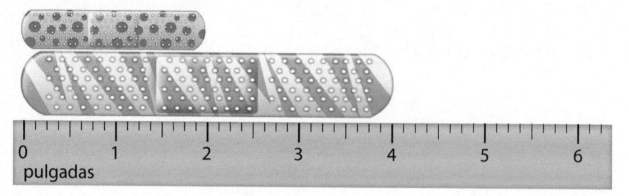

A 2 pulgadas

B 3 pulgadas

C 4 pulgadas

D 5 pulgadas

2 La cola de la cometa de Héctor mide 85 centímetros de largo. La cola de la cometa de María mide 68 centímetros de largo. ¿Qué ecuación se podría usar para hallar la diferencia entre las longitudes? Encierra en un círculo las respuestas correctas.

A $85 + 68 = ?$

B $85 - 68 = ?$

C $85 + ? = 68$

D $68 + ? = 85$

3 ¿Cuál es la diferencia entre las longitudes de las dos pajillas? Mide usando centímetros. Encierra en un círculo la respuesta correcta.

A 3 cm

C 7 cm

B 4 cm

D 11 cm

4 Una mesa mide 10 pies de largo. Un pupitre mide 3 pies de largo. Encierra en un círculo *Verdadero* o *Falso* para cada enunciado.

a. La mesa es 7 pies más corta que el pupitre.   Verdadero   Falso

b. La mesa es 7 pies más larga que el pupitre.   Verdadero   Falso

c. El pupitre es 7 pies más corto que la mesa.   Verdadero   Falso

d. El pupitre es 7 pies más largo que la mesa.   Verdadero   Falso

5 Traza una línea que sea 6 centímetros más larga que la línea de abajo.

_____

¿Cuánto mide tu línea en centímetros? ¿Cómo supiste la longitud que debía tener tu línea?

_____

_____

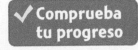 **Ahora puedes comparar las longitudes. Incluye esto en la tabla de progreso de la página 153.**

🅰 Usa lo que sabes

Ya sabes comparar longitudes.

La longitud del cuerpo de un caimán de juguete es 32 pulgadas. La cola del caimán es 6 pulgadas más corta que el cuerpo. ¿De qué largo es la cola?

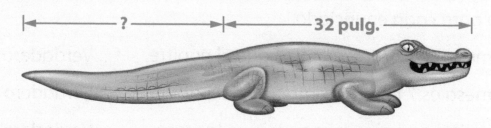

a. ¿Cuál es la longitud del cuerpo del caimán?

_____

b. ¿Sumarás o restarás para hallar la longitud de la cola del caimán? ¿Por qué?

_____

_____

c. Escribe una ecuación para hallar la longitud de la cola.

_____

d. ¿De qué largo es la cola? _____

Puedes sumar longitudes para hallar la longitud total.

Puedes medir la cola y medir el cuerpo. Luego suma para hallar la longitud total del caimán.

Para sumar longitudes, las unidades tienen que ser las mismas.

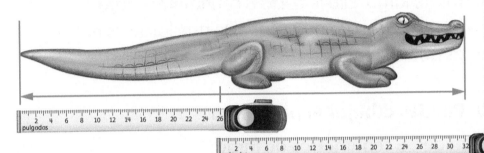

26 pulgadas   +   32 pulgadas

Puedes también medir todo el caimán.

Las cintas de medir que aparecen en esta página no son de tamaño real.

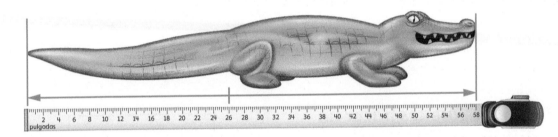

De ambas formas obtienes la misma respuesta.

26 pulgadas + 32 pulgadas = _____ pulgadas

> **Reflexiona** **Trabaja con un compañero.**

1 **Conversa** ¿Por qué obtienes la misma respuesta sumando las longitudes de las partes del caimán que midiendo todo el caimán?

Escribe _____

_____

Aprende **Resolver problemas de longitud**

Lee el problema. Luego explorarás modelos para resolverlo.

Micaela tiene un hilo con cuentas ensartadas. El hilo con cuentas mide 56 centímetros de largo. Ella le corta 8 centímetros para hacerlo del largo apropiado para un collar. ¿De qué largo es el hilo con las cuentas ahora?

▶ **Haz un dibujo** Puedes dibujar el problema.

El hilo con cuentas mide **56** centímetros de largo.

Micaela le corta **8** centímetros.

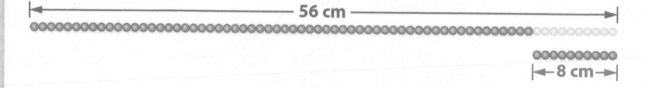

▶ **Haz un modelo** Puedes hacer un diagrama de barras.

La longitud total es **56** centímetros.

La parte que Micaela corta es **8** centímetros.

56	
?	8

▶ **Haz un modelo** Puedes usar una recta numérica.

Comienza en **56**. Resta hasta llegar a la decena próxima.

Resta lo que falta.

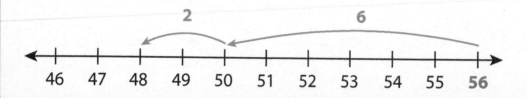

Conéctalo todo Suma y resta longitudes.

2 Mira los modelos de la página anterior. Escribe una ecuación de resta que puedas usar para resolver el problema.

_____

3 Escribe una ecuación de suma que puedas usar para resolver el problema.

_____

4 Explica cómo los saltos en la recta numérica muestran que Micaela le cortó 8 centímetros al hilo con cuentas.

_____

_____

5 ¿De qué largo es el hilo con las cuentas ahora? _____

6 ¿Cuánto más corto es un hilo de 34 centímetros de largo que un hilo de 56 centímetros de largo? Explica cómo hallaste la respuesta.

_____

_____

Pruébalo Prueba con otro problema.

7 Enrique lanzó una pelota una distancia de 59 pies. Pablo tiró otra a 15 pies menos que la de Enrique. ¿A qué distancia tiró su pelota Pablo?

_____

Aprende ▶ **Resolver problemas de dos pasos sobre longitud**

Lee el problema. Luego explorarás maneras de hacer un modelo.

Samuel y Susana hacen un cartel con un borde. Samuel tiene un trozo de borde de 23 pulgadas de largo. Susana tiene un borde que es 7 pulgadas más largo que el de Samuel. La parte de arriba de su cartel mide 50 pulgadas de largo. ¿Tienen suficiente borde para cubrir la parte de arriba del cartel? Explica tu razonamiento.

Haz un dibujo Puedes hacer un dibujo.

Borde de Samuel

23 pulgadas

Borde de Susana

23 pulgadas + 7 pulgadas

▶ Haz un modelo Puedes usar una recta numérica vacía.

Comienza en **23**. Suma **7** primero para llegar a la siguiente decena.

Para sumar 23 más, salta **20** y luego **3**.

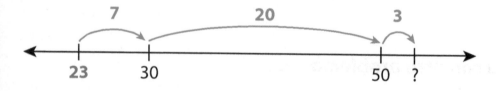

▶ Haz un modelo Puedes usar un diagrama.

Suma **23 + 7** primero para formar una decena.

23	23	7

$$23 + 23 + 7$$
$$23 + \quad 30$$

Conéctalo todo Suma y resta longitudes.

8 Explica cómo sabes que la longitud del borde
de Susana es 23 + 7.

_____

_____

9 Escribe una ecuación que puedas usar para hallar
la longitud de los dos trozos juntos.

_____

10 ¿Tienen Samuel y Susana suficiente borde para cubrir
la parte de arriba del cartel? Explica.

_____

_____

11 Enrique tiene dos trozos de borde. Uno mide 24 pulgadas
de largo y el otro mide 5 pies de largo. Dice que la
longitud total es de 29 pulgadas. ¿Qué hizo mal?

_____

_____

Pruébalo Prueba con otro problema.

12 Sara compró 18 yardas de cuerda. Usó 6 yardas para
colgar un columpio y 4 yardas para colgar un comedero
para aves. ¿Cuánta cuerda queda? Muestra tu trabajo.

_____

Practica > **Sumar y restar longitudes**

Estudia el modelo de abajo. Luego resuelve los problemas 13 a 15.

Ejemplo

El Sr. Yáñez camina 12 pies desde su casa hasta la acera. Luego camina 28 pies hasta el buzón. El Sr. Yáñez se da vuelta y camina 17 pies de vuelta a su casa por la acera. ¿Cuánto tiene que caminar el Sr. Yáñez para volver a su casa ahora?

Mira cómo puedes mostrar tu trabajo con un diagrama de barras.

12	28
17	?

$$\begin{array}{r}12\\+28\\\hline30\\+10\\\hline40\end{array}\qquad\begin{array}{r}40\\-17\\\hline30\\-7\\\hline23\end{array}$$

El Sr. Yáñez tiene que caminar 23 pies para volver

Respuesta a su casa.

---

13 El girasol de Julián creció 8 pulgadas esta semana. Ahora mide 26 pulgadas más de alto. ¿Qué altura tenía el girasol de Julián al comienzo de la semana?

Muestra tu trabajo.

¿Era el girasol más alto o más bajo al comienzo de la semana?

Respuesta _____

14 Un sendero en el parque mide 22 metros de largo. Luego se agrega otra sección. Ahora el sendero mide 50 metros de largo. ¿Cuánto mide la nueva sección?

¿Cómo se hace el sendero: más largo o más corto?

Muestra tu trabajo.

Respuesta _____

15 Luisa usó 37 centímetros de cuerda para colgar un cuadro y 46 centímetros de cuerda para colgar otro cuadro. Le quedan 12 centímetros de cuerda. ¿Con cuánta cuerda comenzó?

¿La cantidad de cuerda al comienzo es la cantidad de cuerda que usó Luisa más qué otra cantidad?

A 21 cm

B 71 cm

C 83 cm

D 95 cm

Carlos eligió **C** como respuesta. Esta respuesta es incorrecta. ¿Cómo obtuvo Carlos su respuesta?

_____

_____

_____

Practica   Sumar y restar longitudes

Resuelve los problemas.

1   El ropero de María es 44 pulgadas más corto que la pared de su habitación. La longitud del ropero es de 36 pulgadas. ¿Cuál es la longitud de la pared? Encierra en un círculo la respuesta correcta.

A   8 pulgadas   **C**   70 pulgadas

B   12 pulgadas   **D**   80 pulgadas

2   Jorge tiene dos pistas para sus carritos de juguete. Una pista es 25 pulgadas más larga que la otra. ¿Cuál podría ser la longitud de cada pista? Encierra en un círculo todas las respuestas correctas.

A   12 pulgadas y 13 pulgadas

B   75 pulgadas y 50 pulgadas

C   20 pulgadas y 45 pulgadas

D   5 pulgadas y 20 pulgadas

3   Juana traza tres líneas.

- una línea azul que mide 55 cm de largo

- una línea roja que es 14 cm más corta que la línea azul

- una línea verde que es 23 cm más corta que la línea roja

¿Cuál es la longitud de la línea verde?
Encierra en un círculo la respuesta correcta.

A   18 cm   **C**   32 cm

B   22 cm   **D**   41 cm

4 Isabel cuelga un cable de luces en su habitación. Luego agrega dos cables de luces más que miden 12 pies y 9 pies de largo. Juntas, la longitud de todas las luces es de 32 pies. ¿Cuánto mide el primer cable de luces?

Completa los espacios en blanco. Luego encierra en un círculo todas las respuestas que muestren un paso de la resolución del problema.

A $12 + 9 =$ _____   **C** $21 + 32 =$ _____

B $12 - 9 =$ _____   **D** $32 - 21 =$ _____

5 José iba por un sendero de 100 metros de largo. Corrió 35 metros y luego comenzó a caminar. Corrió de nuevo los últimos 15 metros. ¿Cuánto caminó José?

Muestra tu trabajo.

Respuesta _____

6 Escribe un problema verbal que tenga longitudes. Luego resuelve tu problema.

_____

_____

✓ **Comprueba tu progreso** **Ahora puedes sumar y restar longitudes. Incluye esto en la tabla de progreso de la página 153.**

Piénsalo bien

¿Qué es un diagrama de puntos?

Un **diagrama de puntos** es una manera de organizar un conjunto de mediciones como la longitud de leones marinos jóvenes en un acuario.

| 52 pulgadas | 49 pulgadas | 50 pulgadas | 52 pulgadas | 52 pulgadas | 48 pulgadas | 49 pulgadas |

Piensa **Puedes usar una recta numérica para hacer un diagrama de puntos.**

Una recta numérica es como una regla o una cinta de medir.

- Los números tienen espacios iguales entre ellos.
- Los números están en orden.
- No hay números salteados.

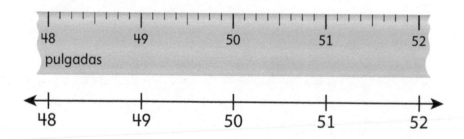

 Encierra en un círculo la longitud de los leones marinos más cortos y más largos en la regla y en la recta numérica.

Piensa Un diagrama de puntos puede ayudarte a mostrar mediciones.

Este diagrama de puntos muestra las longitudes de los leones marinos.

La recta numérica comienza en 48 porque la longitud más corta es 48 pulgadas.

¿Por qué la recta numérica termina en 52? _____

_____

Hay 8 longitudes, por lo tanto debería haber 8 X en el diagrama de puntos.

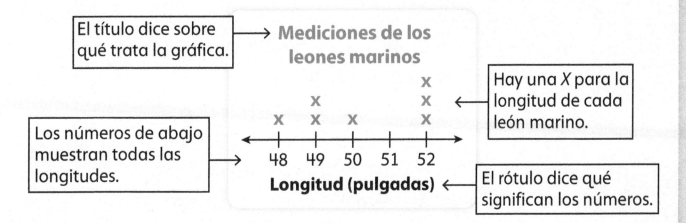

El título dice sobre qué trata la gráfica. → **Mediciones de los leones marinos**

Hay una X para la longitud de cada león marino.

Los números de abajo muestran todas las longitudes.

Longitud (pulgadas)

El rótulo dice qué significan los números.

El diagrama de puntos muestra que 2 leones marinos miden 49 pulgadas de largo.

Reflexiona Trabaja con un compañero.

1 **Conversa** ¿En qué se parece una recta numérica en un diagrama de puntos a una regla? ¿En qué se diferencia?

Escribe _____

_____

_____

_____

Piensa en ▶ **Leer y hacer diagramas de puntos**

🔍 **Explora la idea** Mide la longitud y haz un diagrama de puntos.

A Julia se le cayó una caja de espaguetis. Recogió los trozos rotos que se muestran abajo. Midió cada trozo usando centímetros.

A ▬▬▬▬▬▬▬▬▬▬

B ▬▬▬▬▬▬

C ▬▬▬▬▬▬▬▬▬▬▬

D ▬▬▬▬▬▬▬

E ▬▬▬▬▬▬▬▬▬

F ▬▬▬▬▬▬▬▬▬▬

G ▬▬▬▬▬▬▬▬▬▬▬▬

H ▬▬▬▬▬▬▬▬▬

2 ¿Cuál es la longitud del trozo A? _____ centímetros

3 Dibuja una *X* sobre ese número en el diagrama de puntos de abajo.

4 Mide el resto de los trozos de espagueti. Después de que midas cada trozo, dibuja una *X* sobre el número correcto en el diagrama de puntos de abajo.

Trozos de espagueti

4   5   6   7   8   9   10

Longitud (cm)

¡Vamos a conversar!
Trabaja con un compañero.

5 ¿Qué muestra cada número en el diagrama de puntos?

_____

6 ¿Qué muestra cada X en el diagrama de puntos?

_____

_____

7 ¿Cuántas X debería haber en el diagrama de puntos? ¿Por qué?

_____

8 ¿Por qué el diagrama de puntos comienza en 4 en lugar de 0?

_____

_____

9 ¿Por qué no hay ninguna X sobre el 9?

_____

▶ **Prueba de otro modo** **Responde estas preguntas sobre el diagrama de puntos de los espaguetis.**

10 ¿Cuál es la longitud del trozo de espagueti más corto? _____ cm

11 ¿Cuál es la longitud del trozo de espagueti más largo? _____ cm

12 ¿Cuántos trozos de espagueti miden 6 cm de largo? _____

13 ¿Cuántos trozos de espagueti miden más de 7 cm de largo? _____

Conecta ▶ Ideas sobre diagramas de puntos

Comenta estos problemas con la clase y luego escribe tus respuestas abajo.

14 Identifica Raquel quiere hacer un diagrama de puntos para mostrar la longitud de seis habitaciones. Escribe los números que Raquel necesita colocar en el diagrama de puntos.

Habitación	Longitud (metros)
A	8
B	6
C	10
D	9
E	11
F	10

Longitud (metros)

15 Explica Mira el diagrama de puntos de la derecha. Manuel dice que la longitud que más saltaron las personas fue 4 pies. Explica por qué Manuel no tiene razón.

Resultados de los saltos

Longitud (pies)

_____

_____

_____

16 Analiza Bruno hizo un diagrama de puntos para mostrar cuánto corre cada día. Sofía dice que lo más lejos que corrió Bruno en un día es 3 millas. ¿Tiene razón? ¿Por qué?

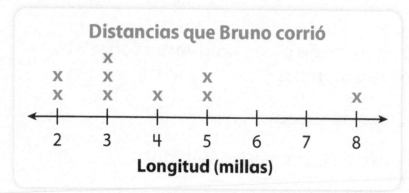

Distancias que Bruno corrió

Longitud (millas)

_____

_____

Ideas sobre diagramas de puntos

Combina todo **Usa lo que has aprendido para completar esta tarea.**

17 Usa la página de conchas de mar que te dé tu maestro.

Conchas de mar	Longitud (pulgadas)
A	
B	
C	
D	
E	
F	
G	

Parte A Mide la longitud de cada concha de mar en pulgadas. Escribe las longitudes en la tabla.

Parte B Usa tus mediciones para hacer un diagrama de puntos.

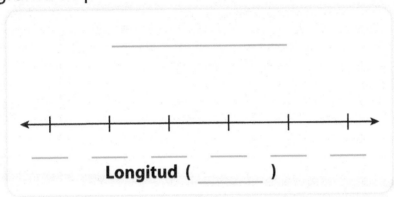

Longitud (_____)

Parte C La longitud de la concha de mar más larga es _____ pulgadas.

La longitud de la concha de mar más corta es _____ pulgadas.

La longitud que tiene más conchas de mar es _____ pulgadas.

Parte D Otras dos conchas de mar miden 4 pulgadas de largo cada una. Explica cómo cambiará el diagrama de puntos si se agrega la longitud de esas conchas de mar al diagrama de puntos.

_____

_____

_____

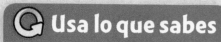 **Usa lo que sabes**

Sabes sumar y restar para resolver problemas.

Andrés preguntó a sus amigos cuál era su verdura favorito.
Organizó las respuestas en una **pictografía**.

Verduras favoritas

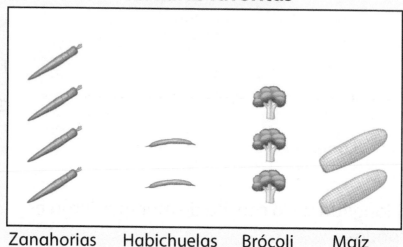

Zanahorias   Habichuelas   Brócoli   Maíz

a. ¿Cuántas zanahorias hay en la pictografía? _____

> Esto dice cuántos amigos eligieron zanahorias.

b. ¿Cuántas habichuelas hay en la pictografía? _____

> Esto dice cuántos amigos eligieron habichuelas.

c. Escribe una ecuación para hallar cuántos
amigos en total eligieron zanahorias
y habichuelas.

_____ + _____ = _____

d. Escribe una ecuación para hallar cuántos
amigos más eligieron zanahorias que habichuelas.

_____ − _____ = _____

Una **gráfica de barras** tiene barras que muestran información.

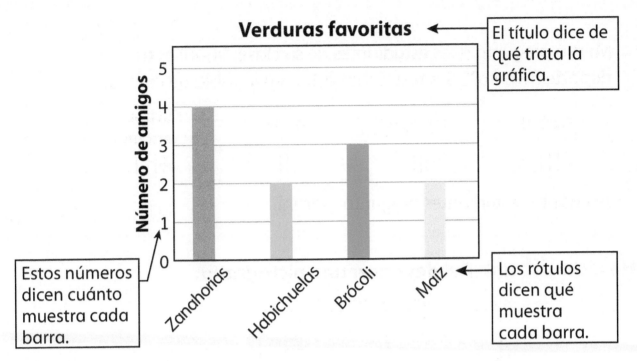

Verduras favoritas

El título dice de qué trata la gráfica.

Número de amigos

5
4
3
2
1
0

Zanahorias   Habichuelas   Brócoli   Maíz

Estos números dicen cuánto muestra cada barra.

Los rótulos dicen qué muestra cada barra.

La información que se muestra en las gráficas se llama **datos**.

Reflexiona **Trabaja con un compañero.**

1 **Conversa** ¿En qué se parecen y en qué se diferencian la pictografía y la gráfica de barras de Verduras favoritas?

Escribe _____

_____

_____

_____

Aprende ▶ **Usar una pictografía y una gráfica de barras**

Lee el problema. Luego usarás las gráficas para responder preguntas.

Martín preguntó a los estudiantes de su clase: "¿Cuál es tu deporte favorito?". Sus resultados están en la tabla de conteo.

Futbol	Beisbol	Tenis	Futbol americano
H̶H̶ II	IIII	III	H̶H̶ I

¿A cuántos estudiantes preguntó Martín?

▶ **Haz un dibujo** Puedes hacer una pictografía.

Deportes favoritos

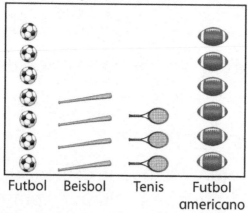

Futbol   Beisbol   Tenis   Futbol americano

▶ **Haz un modelo** Puedes hacer una gráfica de barras.

Deportes favoritos

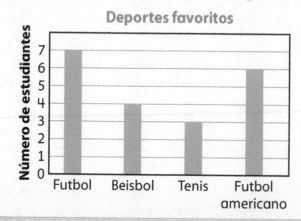

Conéctalo todo Usa las gráficas.

2 ¿Cómo usas la pictografía para hallar el número de estudiantes que eligieron futbol?

_____

3 ¿Cómo usas la gráfica de barras para hallar el número de estudiantes que eligieron futbol?

_____

_____

4 ¿Cuántos estudiantes eligieron futbol como favorito? _____

5 Explica cómo usar la gráfica de barras para hallar el número total de estudiantes a los que Martín preguntó.

_____

_____

6 ¿A cuántos estudiantes preguntó Martín? Muestra tu trabajo.

_____

_____

Pruébalo Prueba más problemas.

7 ¿Cuántos estudiantes menos eligieron tenis que futbol americano? _____

8 Dos estudiantes cambiaron sus respuestas de futbol a beisbol.

¿Cuántos estudiantes eligieron futbol ahora? _____

¿Cuántos estudiantes eligieron beisbol ahora? _____

Aprende **Hacer gráficas de barras y pictografías**

Lee el problema. Luego mostrarás los datos en una gráfica.

Liliana visitó un huerto de manzanas. Miró una fila de árboles. Anotó el color de las manzanas en cada árbol.

rojo, rojo, amarillo, verde, rojo, verde, rojo, rojo, amarillo, rojo, verde, verde

Primero, organiza los datos. Luego haz una pictografía y una gráfica de barras para mostrar los datos.

▶ **Haz un modelo** **Puedes organizar los datos en una tabla de conteo.**

Rojo	Amarillo	Verde
卌 I	II	IIII

▶ **Haz un modelo** **Puedes organizar los datos en una tabla.**

Color de las manzanas	Número de árboles
Rojo	6
Amarillo	2
Verde	4

Conéctalo todo Haz una pictografía y una gráfica de barras.

Para los problemas 9 a 11, usa estas gráficas y los datos de la página anterior.

Manzanos del huerto

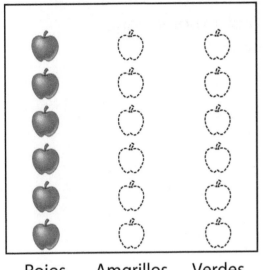

Rojos   Amarillos   Verdes

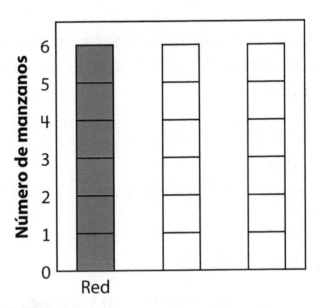

9 Colorea la pictografía para mostrar cuántos manzanos amarillos y manzanos verdes vio Liliana.

10 En la gráfica de barras, completa el título y los rótulos.

11 Colorea la gráfica de barras para mostrar cuántos manzanos amarillos y manzanos verdes vio Liliana.

Pruébalo Dibuja una gráfica de barras.

12 Haz una gráfica de barras para estos datos. Muestra tu trabajo en una hoja de papel aparte.

Colores favoritos			
Azul	**Morado**	**Verde**	**Rojo**
5	6	2	3

Practica ▸ **Hacer gráficas de barras y pictografías**

Estudia el modelo de abajo. Luego resuelve los problemas 13 a 15.

Ejemplo

Gabriel hizo una pictografía para mostrar las calcomanías que tiene. ¿Cuántas estrellas más que lunas y puntos juntos tiene Gabriel?

Calcomanías	
Luna	🌙
Corazón	❤❤❤❤❤
Estrella	⭐⭐⭐⭐⭐⭐⭐
Punto	⬤ ⬤

Mira cómo puedes mostrar tu trabajo.

$1 + 2 = 3$ $8 - 3 = 5$

Respuesta Tiene 5 estrellas más que lunas y puntos juntos.

13 ¿Cuántas calcomanías amarillas más que calcomanías rojas tiene Gabriel?

Muestra tu trabajo.

¿Cuántas calcomanías amarillas hay? ¿Cuántas calcomanías rojas? Halla el total de cada una y luego compara.

Respuesta _____

_____

14 Alicia hizo esta gráfica el domingo en la mañana. Luego leyó 2 libros más ese día. Completa la gráfica para mostrar que leyó 2 libros más el domingo.

¿Cuál es el número total de libros para el domingo?

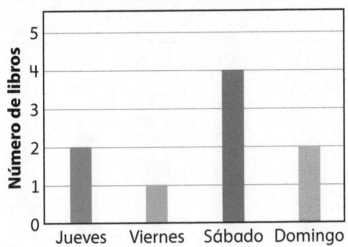

15 ¿Cuántos libros menos leyó Alicia el jueves y el viernes juntos que el sábado?

A 1

B 2

C 3

D 4

Este problema tiene dos pasos. ¿Qué debes hacer primero?

Juan eligió **C** como respuesta. Esta respuesta es incorrecta. ¿Cómo obtuvo Juan la respuesta?

_____

_____

_____

Practica ▷ **Hacer gráficas de barras y pictografías**

Resuelve los problemas.

Usa la gráfica para resolver los problemas 1 y 2.

Margarita anotó el color de cabello de las niñas de su equipo de softbol. Puso sus datos en una gráfica de barras.

1 ¿Qué dos colores tienen el menor número de niñas con ese color de cabello? Encierra en un círculo la respuesta correcta.

A negro y rubio

B castaño y negro

C negro y pelirrojo

D pelirrojo y rubio

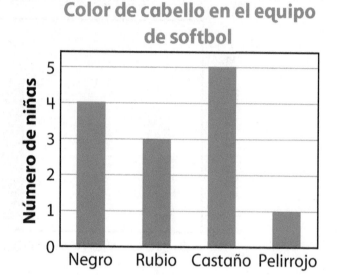

Color de cabello en el equipo de softbol

Número de niñas

Negro Rubio Castaño Pelirrojo

2 Encierra en un círculo *Verdadero* o *Falso* para cada enunciado.

a. Hay más niñas con cabello negro que cabello castaño.   Verdadero   Falso

b. Hay más niñas con cabello castaño que los otros tres colores juntos.   Verdadero   Falso

c. Hay 2 niñas pelirrojas menos que rubias.   Verdadero   Falso

d. Hay 8 niñas con cabello castaño o rubio.   Verdadero   Falso

3 Hugo anotó el estado del tiempo de una semana en la tabla de la derecha.

Completa la pictografía de abajo usando los datos de la tabla. Dibuja ☀ para los días soleados y ☁ para los días nublados.

Día	Tiempo
Dom.	nublado
Lun.	nublado
Mar.	soleado
Mié.	soleado
Jue.	lluvioso
Vie.	soleado
Sáb.	nublado

Días soleados, nublados y lluviosos	
Soleado	
_____	
Lluvioso	💧

4 Usa tu pictografía terminada del problema 3 para completar los espacios en blanco de abajo.

Había el mismo número de días _____

y _____.

Hubo _____ días más soleados que días

_____ .

5 Si el sábado hubiera estado soleado, ¿en qué se habría diferenciado la pictografía de lo que es ahora?

_____

_____

Ahora puedes hacer gráficas de barras y pictografías. Incluye esto en la tabla de progreso de la página 153.

Di y escribe la hora

G Usa lo que sabes

Sabes cómo decir la hora a la hora y a la media hora.

Lucía comenzó su lección de piano a la hora que se muestra en el reloj.

¿Qué hora muestra el reloj?

a. La manecilla corta muestra la hora. ¿Por cuál número acaba de pasar la manecilla corta?

_____

b. La manecilla larga muestra los minutos. Está a la mitad de la vuelta en el reloj. ¿Cuántos minutos hay en media hora?

_____

c. ¿La hora está entre cuáles dos horas?

_____ : _____ y _____ : _____

d. ¿A qué hora comenzó Lucía su lección de piano?

_____ : _____
  horas minutos

Mira el reloj. La manecilla corta se llama **manecilla de la hora**.
Te dice la **hora**.

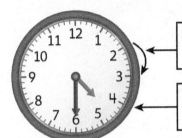

Debe pasar 1 hora para que la **manecilla de la hora** se mueva de un número al siguiente.

Como la manecilla de la hora pasó el 4 (pero aún no está en el 5), la hora es las 4.

La manecilla larga se llama **minutero**.
Te dice el número de **minutos**.

Deben pasar 5 minutos para que el **minutero** se mueva de un número al siguiente.

El minutero está apuntando al **6**. Cuenta salteado de cinco en cinco **6** veces para hallar el número de minutos.
5, 10, 15, 20, 25, 30

Cuando escribas la hora, escribe la hora, luego dos puntos (:), luego los minutos. El reloj muestra las 4:30.

▶ **Reflexiona** **Trabaja con un compañero.**

1 **Conversa** ¿Por qué puedes contar salteado de cinco en cinco para mostrar que hay 60 minutos en una hora?

Escribe _____

_____

_____

Aprende › **Decir y escribir la hora**

Lee el problema. Luego buscarás maneras de decir y escribir la hora.

> Esteban comenzó a desayunar a la hora que se muestra en el reloj.
>
> ¿Qué hora muestra el reloj?

▶ **Haz un dibujo** Puedes usar el reloj para hallar la hora y los minutos.

La manecilla de la hora está entre el **7** y el **8**.

El minutero apunta al **4**.
Cuenta salteado de cinco en cinco **4** veces para hallar los minutos.

▶ **Haz un dibujo** Puedes usar un reloj digital para mostrar la hora.

La misma hora puede mostrarse en un **reloj digital**. Primero muestra la hora, luego los minutos.

Un reloj digital muestra **AM,** que significa "durante la mañana" o **PM,** que significa "desde mediodía hasta la medianoche".

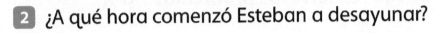

Conéctalo todo Comprende y usa los modelos para resolver un nuevo problema.

2 ¿A qué hora comenzó Esteban a desayunar?

_____ : _____

3 Este reloj muestra la hora en que Esteban termina de desayunar. Di cómo sabes qué hora es.

_____

_____

4 ¿Cómo puedes contar salteado para hallar en el reloj el número de minutos cuando Esteban termina de desayunar?

_____

_____

_____

5 ¿A qué hora terminó Esteban de desayunar?

_____ : _____

Pruébalo Prueba con otro problema.

6 El primer reloj muestra cuándo Marcos fue a dormir. Escribe la misma hora en el reloj digital. Encierra en un círculo AM o PM.

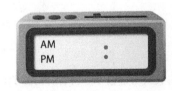

Practica Decir y escribir la hora

Estudia el modelo de abajo. Luego resuelve los problemas 7 a 9.

Ejemplo

Diana dio un paseo en bicicleta a la hora que se muestra en el reloj. ¿Qué hora muestra el reloj?

Puedes contar salteado.

La manecilla de la hora pasó el 2, pero aún no llega al 3. Por lo tanto, la hora es las 2.

El minutero está en el 9, por lo tanto cuento salteado de cinco en cinco 9 veces para hallar el número de minutos.

5, 10, 15, 20, 25, 30, 35, 40, 45

Respuesta ___2:45___

7 Carlos juega basquetbol los sábados en la mañana. Su juego comienza a la hora que se muestra en el reloj.

¿Cómo puedes saber si es AM o PM?

Muestra la misma hora en el reloj digital. Recuerda encerrar en un círculo AM o PM.

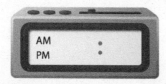

8 Sofía tenía una reunión a la hora que se muestra en el reloj digital de abajo.
Muestra la misma hora en el otro reloj.

¿Entre cuáles dos números estará la manecilla de la hora? ¿A cuál número apuntará el minutero?

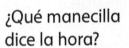

---

9 Juana llegó a casa de la escuela a la hora que se muestra en el reloj. ¿A qué hora llegó Juana a casa?

A 5:15

B 3:05

C 3:25

D 4:25

¿Qué manecilla dice la hora?

Emilia eligió **B** como respuesta. Esta respuesta es incorrecta. ¿Cómo obtuvo Emilia su respuesta?

_____

_____

_____

_____

Resuelve los problemas.

1 Elsa fue a práctica de natación después de la escuela. Terminó a las 5:45. ¿Cuál reloj muestra la hora a la que Elsa terminó? Encierra en un círculo todas las respuestas correctas.

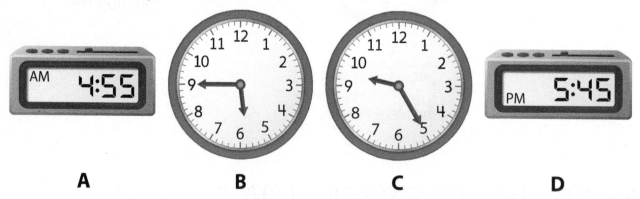

A   B   C   D

2 ¿Dónde apunta la manecilla de la hora cuando un reloj muestra las 10:30? Encierra en un círculo la respuesta correcta.

A   al 6

B   al 10

C   entre el 9 y el 10

D   entre el 10 y el 11

3 El minutero de un reloj apunta al 10. ¿Qué hora podría ser? Encierra en un círculo todas las respuestas correctas.

A   10:10

B   4:50

C   10:30

D   8:50

4 Daniel terminó su práctica de futbol de la tarde a la hora que se muestra en el reloj de la derecha.

¿Qué reloj de abajo muestra la hora en la que Daniel terminó su práctica de futbol? Encierra en un círculo la respuesta correcta.

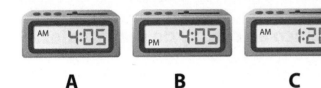

A   B   C   D

5 Roberto lee hasta las 7:35 en la tarde. Dibuja manecillas en el reloj para mostrar esa hora. Luego escribe la misma hora en el reloj digital. Asegúrate de encerrar en un círculo AM o PM.

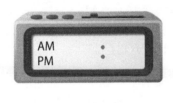

6 Al reloj de la derecha le falta el minutero. Son las 6:05 o las 6:55. ¿Cuál es correcta? Explica cómo la manecilla de la hora puede ayudarte a saber la respuesta.

_____

_____

_____

_____

Ahora puedes leer y escribir la hora.
Incluye esto en la tabla de progreso de la página 153.

⟳ Usa lo que sabes

Sabes contar de uno en uno, de cinco en cinco y de diez en diez.

Luisa, Sergio y Jaime tienen cinco monedas cada uno.

Luisa   **Sergio**   **Jaime**

¿Qué niño tiene más centavos?

a. Luisa tiene cinco monedas de 1¢. Cada
moneda de 1¢ vale 1 centavo. Cuenta de uno
en uno para hallar cuántos centavos tiene.

<u> 1 </u> , <u> 2 </u> , ___ , ___ , ___

b. Sergio tiene cinco monedas de 5¢. Cada
moneda de 5¢ vale 5 centavos. Cuenta de
cinco en cinco para hallar cuántos centavos tiene.

<u> 5 </u> , <u> 10 </u> , ___ , ___ , ___

c. Jaime tiene cinco monedas de 10¢. Cada
moneda de 10¢ vale 10 centavos. Cuenta de
diez en diez para hallar cuántos centavos tiene.

<u> 10 </u> , <u> 20 </u> , ___ , ___ , ___

d. ¿Quién tiene más centavos? Explica cómo lo sabes.

_____

_____

Puedes aprender sobre el valor del dinero.

Cada tipo de moneda y billete tiene un valor.

Nombre	Valor	Adelante	Atrás
moneda de un centavo	1¢		
moneda de cinco centavos	5¢		
moneda de diez centavos	10¢		
moneda de veinticinco centavos	25¢		muchos tipos

Usamos ¢ para mostrar centavos y $ para mostrar dólares. 5¢ es cinco centavos. $5 es cinco dólares.

Un billete de $1 vale lo mismo que 100¢.

También hay otros tipos de billetes, como $5, $10, $20, $50 y $100.

Reflexiona Trabaja con un compañero.

1 **Conversa** Cada niño en el problema de la página anterior tiene cinco monedas. ¿Por qué no tienen todos la misma cantidad de dinero?

Escribe _____

_____

_____

Aprende ▶ **Hallar el valor de monedas**

Lee el problema. Luego explorarás maneras de hallar el valor de las monedas.

Hernán halló unas monedas en el piso. ¿Cuántos centavos halló?

▶ **Haz un dibujo** Puedes clasificar las monedas y pensar en el valor de cada moneda.

10¢   10¢   10¢   5¢   5¢   5¢   1¢   1¢

▶ **Haz un modelo** Puedes hacer un modelo.

10	10	10	5	5	5	1	1

▶ **Haz un modelo** Puedes escribir una ecuación de suma.

$$10 + 10 + 10 + 5 + 5 + 5 + 1 + 1 = ?$$

Conéctalo todo Usa el conteo salteado y la suma para hallar el valor de las monedas.

2 Usa el conteo salteado para hallar el valor. Cada vez que las monedas cambian, asegúrate de cambiar el número que cuentas salteado.

<u>10¢</u>   <u>20¢</u>   ____   ____   ____   ____   ____   ____

3 Hernán sumó los valores así. Escribe el total.

10 + 10 + 10 + 5 + 5 + 5 + 1 + 1

30   +   15   +   2 = ____

4 Dibuja otro conjunto de monedas que tenga el mismo valor que el conjunto de monedas de Hernán.

Pruébalo Prueba otro problema.

5 Belén tiene estas monedas.

¿Cuántos centavos tiene? _____ ¢

Dibuja otro conjunto de monedas que valga la misma cantidad.

Aprende Resolver problemas verbales sobre dinero

Lee el problema. Luego explorarás maneras de resolverlo.

Luis tenía un billete de $100. Carlos tenía dos billetes de $20 y un billete de $5. Carlos recibió más billetes por su cumpleaños. Luego tenía la misma cantidad de dinero que Luis. ¿Cuánto dinero recibió Carlos para su cumpleaños?

▶ **Haz un modelo** **Puedes hacer un diagrama de cinta y un modelo de barras.**

Paso 1: Carlos tenía dos billetes de $20 y un billete de $5.

	?	
20	20	5

Paso 2: Carlos recibió unos billetes más. Luego tenía $100.

100	
45	?

▶ **Haz un modelo** **Puedes usar rectas numéricas vacías.**

Paso 1: Carlos tenía dos billetes de $20 y un billete de $5.

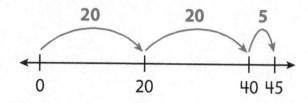

Paso 2: Carlos recibió más billetes. Luego tenía $100.

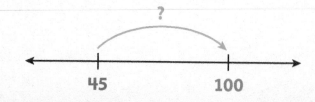

▶ **Conéctalo todo** Usa los modelos para resolver el problema.

6 ¿Qué hallas en el paso 1?

_____

7 Escribe una ecuación de suma para el paso 1.

_____ + _____ + _____ = _____

8 ¿Cuánto dinero tenía Carlos después de su cumpleaños? ¿Cómo lo sabes?

_____

_____

9 ¿Qué hallas en el paso 2?

_____

10 Escribe una ecuación de resta para el paso 2.

_____ − _____ = _____

11 ¿Cuánto dinero recibió Carlos por su cumpleaños? _____

Dibuja un conjunto de billetes que podría haber recibido.

▶ **Pruébalo** Prueba otro problema.

12 Ignacio tiene dos billetes de $10 y tres billetes de $5. Matías tiene dos billetes de $5 y un billete de $20. ¿Quién tiene más dinero? ¿Cuánto más? Muestra tu trabajo.

_____

_____

Practica ➤ **Resolver problemas verbales de dinero**

Estudia el modelo de abajo. Luego resuelve los problemas 13 a 15.

Ejemplo

Paula tiene dos monedas de 25¢, una moneda de 10¢
y una moneda de 5¢. Andrés tiene seis monedas de 10¢.
¿Qué conjunto de monedas vale más? ¿Cuánto más?

Puedes mostrar tu trabajo con modelos.

Paula	25		25		10	5
Andrés	10	10	10	10	10	10

$$65 - 60 = 5$$

Respuesta El conjunto de monedas de Paula vale 5¢ más que el

conjunto de monedas de Andrés.

---

13 Antonio tiene $25 en billetes. Nombra dos maneras
en que podría tener $25.

Muestra tu trabajo.

Piensa en maneras
en que podrías usar
billetes de $1, $5,
$10 y $20 para tener
un total de $25.

Respuesta _____

_____

14 Un bolígrafo cuesta 35¢. Leonardo pagó con dos monedas de 25¢. ¿Qué monedas podría recibir Leonardo como vuelto?

Muestra tu trabajo.

¿Cuánto valen dos monedas de 25¢? ¿Cómo averiguas el vuelto que debería recibir Leonardo?

Respuesta _____

15 Juana tiene estas monedas en el bolsillo.

¿Cuánto valen las monedas?

Prueba el conteo salteado para hallar el total.

A 8¢

B 40¢

C 80¢

D $2

María eligió **C** como respuesta. Esta respuesta es incorrecta. ¿Cómo obtuvo María su respuesta?

_____

_____

_____

Resuelve los problemas.

1 ¿Cuál es el valor total de estas monedas?
Encierra en un círculo la respuesta correcta.

A 52¢

C 67¢

B 62¢

D 77¢

2 Un señalador cuesta 68¢. Elena usa 3 monedas de 25¢ para pagarlo. ¿Cuáles monedas debería recibir de vuelto? Encierra en un círculo la respuesta correcta.

A

B

C

D

3 Encierra en un círculo *Verdadero* o *Falso* para cada enunciado.

a. Una moneda de 10¢ vale lo mismo que diez monedas de 1¢. Verdadero Falso

b. Una moneda de 5¢ vale lo mismo que dos monedas de 10¢. Verdadero Falso

c. Una moneda de 25¢ vale lo mismo que cinco monedas de 5¢. Verdadero Falso

d. Una moneda de 25¢ vale lo mismo que dos monedas de 10¢ y una moneda de 5¢. Verdadero Falso

4 ¿Cuál conjunto de monedas vale 31¢?
Encierra en un círculo todas las respuestas correctas.

A

B

C

D

5 Teresa tiene más de tres billetes. Tienen un valor total de $30. ¿Qué billetes podría tener Teresa?

Muestra tu trabajo.

_____

_____

6 Jaime responde el problema 5. Dice que Teresa podría tener cuatro billetes de $10. ¿Estás de acuerdo? Explica por qué sí o por qué no.

_____

_____

_____

 **Comprueba tu progreso** | **Ahora puedes resolver problemas usando dinero. Incluye esto en la tabla de progreso de la página 153.**

Estudia un problema y su solución

Lee el siguiente problema sobre medir en centímetros. Luego estudia cómo Bella resolvió el problema.

Botones

Bella guarda botones para decorar algunos de los objetos que hace. Bella quiere pegar algunos botones en el frente de una caja de lápices. Cada botón tiene el mismo ancho.

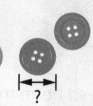

- Colocar botones en línea alrededor de los 4 lados.
- Los botones no deben tocarse.
- Medir los botones como ayuda para hacer el plan.

Parte de arriba de la caja

9 centímetros

7 centímetros

¿Cómo puede Bella decorar la caja de lápices? Haz un dibujo. Di cuántos botones necesita.

Muestra cómo la solución de Bella concuerda con la lista.

🖊 **Lista de chequeo para la solución de problemas**

- ☐ Di lo que se sabe.
- ☐ Di lo que pide el problema.
- ☐ Muestra todo tu trabajo.
- ☐ Muestra que la solución tiene sentido.

a. **Haz un círculo** alrededor de lo que se sabe.

b. **Subraya** las cosas que hace falta averiguar.

c. **Encierra en un cuadro** lo que haces para resolver el problema.

d. **Pon una marca** ✓ junto a la parte que muestra que la solución tiene sentido.

Solución de Bella

Hola, soy Bella. Así fue como resolví este problema.

▷ **Primero, puedo medir el botón.**

Mide 1 centímetro de ancho.

▷ **Necesito 4 hileras de botones.**

Dejaré 1 centímetro de espacio entre los botones.

▷ **Puedo hacer un dibujo para mostrar mi razonamiento.**

- Comienzo con los lados largos.
- Dibujo y cuento 9 centímetros.
- Luego hago los números de arriba y de abajo.
- Dibujo y cuento 7 centímetros.

Hice un dibujo como ayuda para resolver el problema.

①2③4⑤6⑦
2
③
4
⑤
6
⑦
8
⑨ ○ ○ ○

En cada lado hay 5 botones y 4 espacios. 5 + 4 = 9

Comprobé mi trabajo al sumar.

En la parte de arriba y de abajo hay 4 botones y 3 espacios. 4 + 3 = 7

9 centímetros y 7 centímetros concuerdan con el dibujo.

▷ **Puedo contar todos los botones para ver cuántos necesito.**

Hay 14 botones.

Hay muchas maneras de resolver problemas. Piensa en cómo podrías resolver el problema de los "Botones" de una manera distinta.

Botones

Bella guarda botones para decorar algunas de las cosas que hace. Bella quiere pegar algunos botones en el frente de una caja de lápices. Cada botón tiene el mismo ancho.

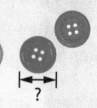

- Colocar botones en línea alrededor de los 4 lados.
- Los botones no deben tocarse.
- Medir los botones como ayuda para hacer el plan.

Parte de arriba de la caja

9 centímetros

7 centímetros

¿Cómo puede Bella decorar la caja de lápices? Haz un dibujo. Di cuántos botones necesita.

▶ **Planea** **Contesta la siguiente pregunta para empezar a pensar en un plan.**

El ejemplo anterior tiene espacios entre cada botón. ¿Cómo podrías hacer un diseño sin dejar un espacio entre los botones?

_____

_____

_____

Resuelve Halla una solución distinta al problema de los "Botones". Muestra todo tu trabajo en una hoja de papel aparte.

Tal vez quieras usar las sugerencias de abajo para empezar.

Sugerencias para resolver problemas

● Herramientas

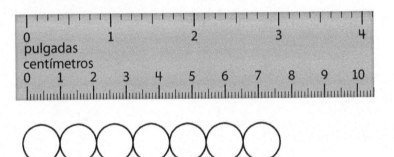

● Banco de palabras

longitud	regla	centímetro
medir	contar	sumar

● Oraciones modelo

• Puedo dibujar _____

• Puedo usar una regla _____

Reflexiona

Usa las prácticas de las matemáticas Comenta la siguiente pregunta con un compañero.

• **Persevera** ¿Qué puedes hacer si llegas a una parte difícil del problema?

Comenta ▶ **Modelos y estrategias**

**Resuelve este problema en una hoja de papel aparte.
Hay distintas maneras en que lo puedes resolver.**

Restos de madera

Bella guarda restos de madera para volverlos a usar.
Quiere que halles:

• la longitud de cada trozo en pulgadas.

• cuántos trozos hay de cada longitud.

• la longitud del trozo más corto y del más largo.

• la diferencia entre los trozos más cortos
  y los más largos.

a

b

c

d

e

f

g

h

¿Cómo puede Bella organizar los datos?

Planea y resuelve Halla una solución al problema de los "Restos de madera".

Asegúrate de hacer todas las partes de la tarea.

- Mide cada trozo de madera.
- Organiza los datos en un diagrama de puntos o una gráfica de barras.
- Usa palabras para describir las longitudes de los restos de madera.

Tal vez quieras usar las sugerencias de abajo para empezar.

Sugerencias para resolver problemas

- **Preguntas**
  - ¿Qué herramienta debería usar para medir?
  - ¿Cómo mostraré los datos?

- **Banco de palabras**

longitud	más largo	más corto
diferencia	pulgadas	el más largo
el más corto	comparar	

- **Oraciones modelo**
  - La longitud de _____
  - El trozo más largo _____

Lista de chequeo para la solución de problemas

Asegúrate de...
- ☐ decir lo que se sabe.
- ☐ decir lo que pide el problema.
- ☐ mostrar todo tu trabajo.
- ☐ mostrar que la solución tiene sentido.

Reflexiona

Usa las prácticas de las matemáticas Comenta la siguiente pregunta con un compañero.

- **Usa herramientas** ¿Cómo puedes decidir qué herramienta de medición usar?

Resuelve el problema en una hoja de papel aparte.

Materiales para manualidades

Bella quiere reciclar artículos para sus proyectos. Pero aún debe comprar algunas cosas. Bella quiere comprar algunos corazones de madera y algunas letras de madera. Puede gastar hasta $1 en los corazones y hasta $1 en las letras.

Corazones de madera: 44¢ cada uno   Letras de madera: 28¢ cada una

¿Cuántos corazones y letras puede comprar Bella?

▶ **Resuelve** Ayuda a Bella a decidir qué comprar.

- Di cuántos corazones y letras comprar.
- Da el costo de los corazones y de las letras.
- Nombra un grupo de monedas que podría usar para comprar los corazones.
- Nombra un grupo de monedas que podría usar para comprar las letras.

▶ **Reflexiona**

Usa las prácticas de las matemáticas Comenta la siguiente pregunta con un compañero.

- **Usa la estructura** ¿Cómo usaste el valor de las monedas para resolver el problema?

Botellas de Bella

Bella quiere hacer un borde para las flores del jardín.

Usará botellas rojas y azules recicladas para construirlo.

Lee las notas de Bella.

Mis notas

- Todo el borde mide entre 60 y 72 pulgadas.

- La parte A mide entre 45 y 55 pulgadas.

- La parte B mide entre 15 y 25 pulgadas.

borde

Parte A	Parte B
Botellas rojas	Botellas azules

¿Cómo puede Bella diseñar su borde?

▶ Resuelve Ayuda a Bella a hacer un plan para su borde.

- Escribe la longtiud de cada parte.
- Muestra todo tu trabajo.
- Di por qué tus mediciones tienen sentido.

▶ Reflexiona

Usa las prácticas de las matemáticas Comenta la siguiente pregunta con un compañero.

- **Construye un argumento** ¿Cómo mostraste que tus mediciones tienen sentido?

Resuelve los problemas.

1. Sandra compra un bolígrafo que cuesta 57¢. Paga con 3 monedas de 25¢. Completa la tabla para mostrar distintas maneras en las que podría recibir su cambio.

Monedas de 10¢	Monedas de 5¢	Monedas de 1¢
0		
0		
	0	
	0	

2. Juan cuenta las figuras de papel que tiene.

- Cuenta 7 corazones.
- Cuenta 3 estrellas menos que corazones.
- Cuenta 16 figuras de papel en total.

Completa la pictografía para mostrar las figuras de papel que tiene Juan.

Figuras de papel de Juan	
Corazones	♡ ♡ ♡ ♡ ♡ ♡ ♡
Estrellas	
Círculos	

3 Catalina tiene una cuerda que mide 66 pulgadas de largo. La corta en dos trozos. Encierra en un círculo *Sí* o *No* para decir si cada pareja de longitudes pueden ser las longitudes de los trozos.

a. 44 pulgadas y 24 pulgadas   Sí   No

b. 40 pulgadas y 26 pulgadas   Sí   No

c. 35 pulgadas y 32 pulgadas   Sí   No

d. 33 pulgadas y 33 pulgadas   Sí   No

4 ¿Qué objeto mide aproximadamente 8 pies de largo? Encierra en un círculo la respuesta correcta.

A libro de matemáticas

B patín

C campo de futbol americano

D mesa de cafetería

5 La manecilla de la hora de este reloj se cayó. Encierra en un círculo *Sí* o *No* para decir si cada hora que se muestra podría ser la hora que se muestra en el reloj.

a. 3:25   Sí   No

b. 4:05   Sí   No

c. 5:25   Sí   No

d. 6:20   Sí   No

Prueba de rendimiento

Responde las preguntas. Muestra todo tu trabajo en una hoja de papel aparte.

Mide 5 objetos en pulgadas y en centímetros. Haz una tabla como la de abajo. Escribe los nombres de los objetos y las longitudes en la tabla.

Objeto	Longitud en pulgadas	Longitud en centímetros

- ¿Cuál es la longitud total en pulgadas de todos los objetos? ¿Cuál es la longitud total en centímetros?

- Compara las longitudes totales. ¿Hay un número mayor de centímetros o de pulgadas? Explica por qué.

- Usa tus mediciones para hacer un diagrama de puntos como el que se muestra abajo. El diagrama de puntos puede mostrar pulgadas o centímetros.

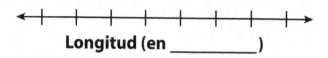

Longitud (en _____)

Reflexiona

Busca la estructura ¿En qué se diferencia medir los objetos usando pulgadas de medirlos usando centímetros? ¿En qué se parece?

Unidad 4
Geometría

Conexión a la vida real Mira alrededor de tu salón de clase. ¿Cuántas figuras puedes nombrar? ¿Ves figuras de las que no sabes su nombre? ¿Puedes describir las partes de las figuras? Algunas figuras tienen lados rectos y otras figuras tienen curvas. Algunas figuras tienen lados que tienen la misma longitud. Otras tienen lados de distinta longitud.

En esta unidad Aprenderás los nombres de las figuras y cómo describir sus partes. Unirás figuras para formar nuevas figuras. También dividirás figuras en partes iguales.

> Aprenderemos a nombrar figuras, separarlas y unirlas.

✔ Comprueba tu progreso

Antes de comenzar esta unidad, marca las destrezas que ya conoces.

Puedo	Antes de la unidad	Después de la unidad
reconocer y dibujar distintas figuras.	☐	☐
separar un rectángulo en cuadrados.	☐	☐
dividir figuras en partes iguales.	☐	☐

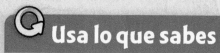

Usa lo que sabes

Halla círculos, triángulos, cuadrados y rectángulos.

María hace este *collage* con recortes de figuras. ¿Cuántos círculos, triángulos, cuadrados y rectángulos usa?

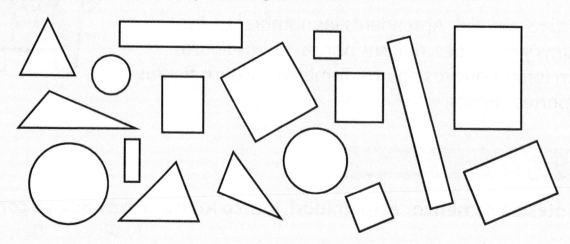

Colorea las figuras como se describe abajo.
Luego escribe cuántas figuras hay de cada una.

a. Colorea los círculos de rojo. _____ círculos

b. Colorea los triángulos de azul. _____ triángulos

c. Colorea los cuadrados de amarillo. _____ cuadrados

d. Colorea los rectángulos de verde. _____ rectángulos

La mayoría de las figuras tienen lados y ángulos.

Los **triángulos** tienen 3 lados y 3 ángulos.

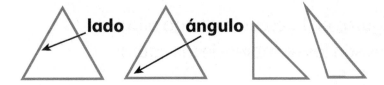

Los **cuadriláteros** tienen 4 lados y 4 ángulos.

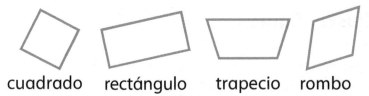

 cuadrado   rectángulo

 trapecio   rombo

Los **pentágonos** tienen
5 lados y 5 ángulos.

Los **hexágonos** tienen
6 lados y 6 ángulos.

Reflexiona **Trabaja con un compañero.**

1 **Conversa** Mira los hexágonos de arriba.
¿Puede llamarse hexágono la figura de la
derecha? Explica.

Escribe _____

_____

_____

Aprende ▶ **Nombrar y dibujar figuras**

Lee el problema. Luego explorarás lados y ángulos de las figuras.

Algunos amigos buscan figuras en la escuela. Luego dibujan los objetos que ven. ¿Cuáles son los nombres de las figuras que dibujaron?

▶ **Haz un dibujo** **Puedes buscar figuras.**

▶ **Haz un dibujo** **Puedes dibujar las figuras.**

Figura A   Figura B   Figura C

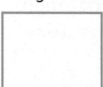

Conéctalo todo Usa el número de lados y ángulos para nombrar las figuras.

2 Mira *Haz un dibujo* para completar la siguiente tabla.

Figura	Nombre de la figura	Número de lados	Número de ángulos
A			
B			
C			

3 ¿Qué notas sobre el número de lados y el número de ángulos de cada figura?

_____

_____

4 ¿Qué otro nombre tiene la figura B? Explica.

_____

_____

Pruébalo Prueba con otro problema.

5 Dibuja 3 figuras. Una tiene 3 ángulos. Una tiene 4 ángulos. Una tiene 5 lados. Haz figuras diferentes de las de *Haz un dibujo*.

Aprende ▸ **Formar figuras**

Lee el problema. Luego explora diferentes maneras de formar un hexágono.

Marta tiene estas figuras. ¿Cómo puede unirlas para formar un hexágono?

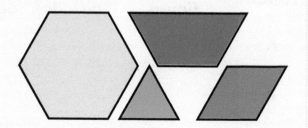

▶ **Haz un modelo** **Puedes formar el hexágono con las mismas figuras.**

Ambas partes del hexágono tienen la misma figura.

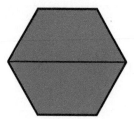

▶ **Haz un modelo** **Puedes formar el hexágono con diferentes figuras.**

Algunas partes son las mismas figuras, pero otras son diferentes.

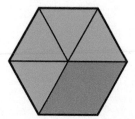

Conéctalo todo Nombra figuras que formen un hexágono.

6 Mira el primer *Haz un modelo*. ¿Qué figuras forman el hexágono? ¿Cuántas hay de cada una de las figuras?

_____

7 Mira el segundo *Haz un modelo*. ¿Qué figuras forman el hexágono? ¿Cuántas hay de cada una de las figuras?

_____

8 Halla dos nuevas maneras de formar un hexágono. Usa las figuras de la parte de arriba de la página anterior. Haz un dibujo para mostrar cada manera. Luego escribe cuántas de cada una de las figuras forman cada hexágono.

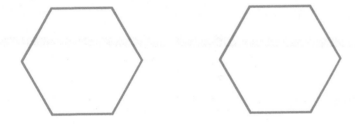

_____

_____

Pruébalo Prueba con otro problema.

9 Muestra cómo formar esta figura de dos maneras diferentes. Usa las figuras que se muestran en la parte de arriba de la página anterior.

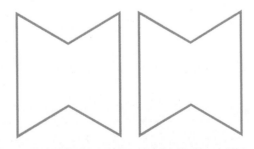

Practica ▶ **Reconocer y dibujar figuras**

Estudia el modelo de abajo. Luego resuelve los problemas 10 a 12.

Ejemplo

Lina dibujó un hexágono diferente a los de la página anterior. ¿Cómo se podría ver su figura? Haz un dibujo.

Puedes usar papel con puntos para mostrar tu trabajo.

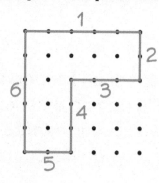

Respuesta Esta figura tiene 6 lados. Es un hexágono.

10 Dibuja una figura que tenga 5 lados. Escribe el nombre de la figura.

Muestra tu trabajo.

Puedes usar los puntos como las esquinas de tu figura.

Respuesta _____

11 Resuelve la adivinanza.

Tengo menos lados que un pentágono.

No soy un cuadrilátero.

¿Qué soy?

Muestra tu trabajo.

¿Qué figuras tienen menos lados que un pentágono?

Respuesta _____

12 ¿Qué enunciado es verdadero?

A Los rectángulos no son cuadriláteros.

B Los cuadriláteros pueden tener 5 ángulos.

C Todos los cuadriláteros tienen 4 lados.

D Todos los cuadriláteros tienen 4 lados iguales.

Alicia eligió **D** como respuesta. Esta respuesta es incorrecta. ¿Cómo obtuvo Alicia su respuesta?

Haz un dibujo de todos los cuadriláteros diferentes que conoces.

_____

_____

_____

_____

Practica ▶ Reconocer y dibujar figuras

Resuelve los problemas.

1 Completa los espacios en blanco. Usa las palabras del recuadro.

a. _____ triángulos tienen 3 lados.

b. _____ triángulos tienen lados de la misma longitud.

c. _____ triángulo tiene 4 ángulos.

> Algunos
>
> Ningún
>
> Todos los

2 Luis dibuja una figura con 6 ángulos. ¿Qué es verdadero sobre su figura? Encierra en un círculo todas las respuestas correctas.

A Es un pentágono.

B Tiene 6 lados.

C Tiene 5 lados.

D Es un hexágono.

3 ¿Qué es verdadero sobre la figura de abajo?
Encierra en un círculo todas las respuestas correctas.

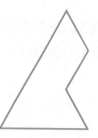

A Es un pentágono.

B Es un cuadrilátero.

C Puede estar formado por 2 trapecios.

D Solo tiene 3 ángulos.

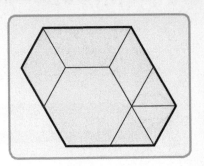

4 ¿Cuál es el nombre de la figura grande que está formada por todas las figuras pequeñas juntas? ¿Cómo lo sabes?

_____

_____

5 Hay 7 figuras más pequeñas que forman la figura grande. ¿Cuántas hay de cada una de las figuras más pequeñas?

_____ triángulos

_____ cuadriláteros

_____ hexágono

6 Dibuja una figura que tenga entre 3 y 6 lados. Usa los puntos de abajo. ¿Cuál es el nombre de tu figura? Explica cómo lo sabes.

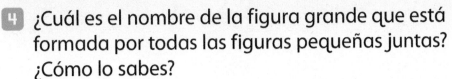

_____

_____

_____

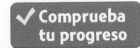 **Ahora puedes contar lados y ángulos.**
Incluye esto en la tabla de progreso de la página 247.

Piénsalo bien

¿Cómo puedes separar un rectángulo en cuadrados que sean del mismo tamaño?

Sabes cómo unir figuras para formar figuras más grandes. Puedes formar un rectángulo usando solo cuadrados.

Piensa **Puedes usar cuadrados que sean del mismo tamaño para formar un rectángulo.**

Puedes colocar 12 cuadrados en 1 fila para formar un rectángulo.

También puedes colocarlos en 2 filas para formar un rectángulo. En cada fila hay 6 cuadrados.

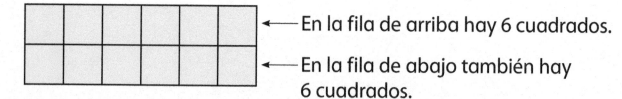

⟵ En la fila de arriba hay 6 cuadrados.

⟵ En la fila de abajo también hay 6 cuadrados.

 Haz un dibujo de 12 cuadrados. Coloca los cuadrados en 3 filas.

Hay _____ filas de cuadrados.

Hay _____ cuadrados en cada fila.

Piensa Llena un rectángulo con cuadrados que sean del mismo tamaño.

Usa papel cuadriculado para formar este rectángulo.

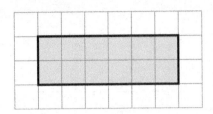

Puedes llenar un rectángulo con cuadrados. Todos los cuadrados deben ser del mismo tamaño. Todas las figuras deben ser cuadrados.

Estas son dos maneras de dibujar el rectángulo usando cuadrados del mismo tamaño.

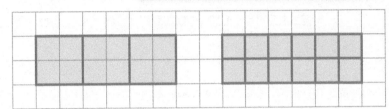

Estos rectángulos no se dibujaron usando cuadrados del mismo tamaño.

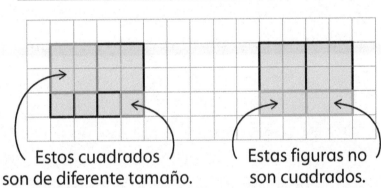

Estos cuadrados son de diferente tamaño.

Estas figuras no son cuadrados.

► Reflexiona Trabaja con un compañero.

1 Conversa Tienes 9 cuadrados que son del mismo tamaño. ¿Puedes formar un rectángulo con los cuadrados en 1 fila?

¿En 2 filas? ¿En 3 filas?

Escribe _____

_____

_____

Piensa en ➤ **Usa cuadrados para llenar un rectángulo**

🔍 **Explora la idea** **Llena rectángulos con cuadrados.
Luego halla el número total de cuadrados.**

2 Daniel comenzó a dibujar cuadrados para llenar este rectángulo. Dibuja el resto de los cuadrados.

3 ¿Cuántas filas de cuadrados hay?
¿Cuántos cuadrados hay en cada fila?

_____

_____

4 ¿Cuántos cuadrados hay en total?

_____

5 Este rectángulo es del mismo tamaño que el de arriba. Daniel comenzó a dibujar cuadrados más grandes para llenar este rectángulo. Dibuja el resto de los cuadrados.

6 ¿Cuántas filas de cuadrados hay?
¿Cuántos cuadrados hay en cada fila?

_____

_____

7 ¿Cuántos cuadrados hay en total?

_____

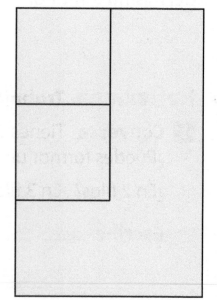

¡Vamos a conversar!
Trabaja con un compañero.

8 ¿Cómo sabías cuántos cuadrados faltaban en el primer rectángulo?

_____

_____

9 ¿Cómo sabías cuántos cuadrados faltaban en el segundo rectángulo?

_____

_____

10 Los dos rectángulos son del mismo tamaño. ¿Por qué hay un número diferente de cuadrados en cada uno?

_____

_____

Prueba de otro modo   Usa papel punteado para dibujar cuadrados en rectángulos.

11 Muestra dos maneras diferentes de llenar el rectángulo con cuadrados del mismo tamaño.

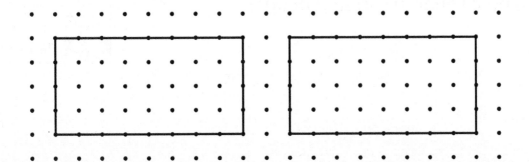

Conecta ▶ Ideas sobre la teselación en los rectángulos

Comenta estas preguntas con la clase y luego escribe tus respuestas abajo.

12 **Explica** ¿Qué número puedes sumar para hallar el número total de cuadrados que hay en el rectángulo de la derecha? ¿Cuántas veces sumas este número? ¿Por qué?

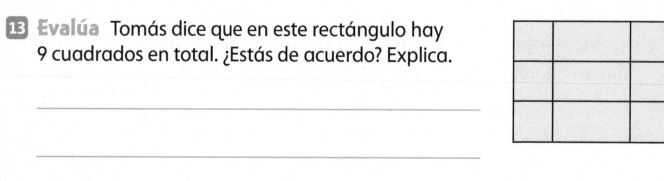

_____

_____

_____

13 **Evalúa** Tomás dice que en este rectángulo hay 9 cuadrados en total. ¿Estás de acuerdo? Explica.

_____

_____

_____

14 **Analiza** Marcela y Andrea pegan cuadrados en carteles que son del mismo tamaño. Se muestran los tamaños de sus cuadrados. ¿Quién usará más cuadrados para llenar su cartel? ¿Por qué?

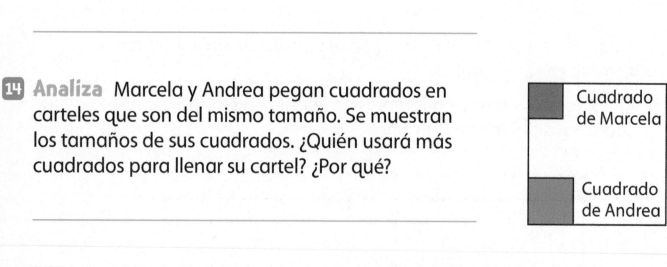

Cuadrado de Marcela

Cuadrado de Andrea

_____

_____

Aplica ▶ **Ideas sobre la teselación en los rectángulos**

Combina todo **Usa lo que aprendiste para completar esta tarea.**

15 Susana hace un diseño de mosaicos. Tiene cuadrados del tamaño de los que se muestran abajo. Pero solo puede usar cuadrados que sean del mismo tamaño.

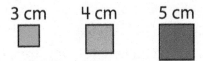

3 cm   4 cm   5 cm

Susana usará los cuadrados para llenar un trozo de papel que mide 24 centímetros de largo y 12 centímetros de ancho.

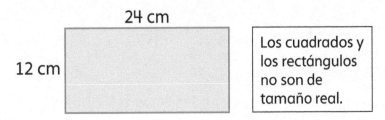

24 cm

12 cm

Los cuadrados y los rectángulos no son de tamaño real.

Parte A ¿Puede Susana usar cuadrados de 3 centímetros para hacer su diseño? Si es así, ¿cuántos cuadrados necesitará? Haz un dibujo a la derecha como ayuda para explicarlo.

_____

_____

Parte B Repite la parte A para los cuadrados de 4 centímetros.

_____

_____

Parte C Repite la parte A para los cuadrados de 5 centímetros.

_____

_____

Piénsalo bien

¿Cómo divides figuras en 2, 3 y 4 partes iguales?

Los círculos están divididos en partes iguales. Usa el número de partes iguales para nombrar las partes.

un medio   un tercio   un cuarto

2 partes iguales   3 partes iguales   4 partes iguales

Piensa Partes iguales cubren una cantidad igual de la figura.

Piensa en compartir un sándwich con un amigo.
Quieres que cada porción sea del mismo tamaño.

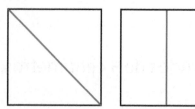   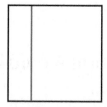

Estos cuadrados muestran partes iguales. Por lo tanto cada uno recibe la misma cantidad.

En este cuadrado una parte es más grande que la otra.

 Dibuja otra manera en la que podrías compartir un sándwich equitativamente con un amigo. Usa el cuadrado de la derecha.

Piensa Partes iguales pueden tener formas diferentes.

Todos estos cuadrados son del mismo tamaño.
Cada figura pequeña cubre un cuarto del cuadrado.
Por lo tanto, cada figura pequeña es una parte igual
del cuadrado.

Piensa: Divide el cuadrado a la mitad. Luego divide cada medio a la mitad.

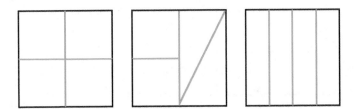

Estos cuadrados son del mismo tamaño que los de
arriba. Cada uno está dividido en 3 partes iguales, o
tercios. Por lo tanto, cada figura más pequeña es una
parte igual del cuadrado.

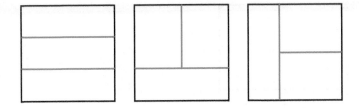

▶ Reflexiona Trabaja con un compañero.

1 **Conversa** Dibuja dos cuadrados del mismo tamaño que los
de arriba. Divide uno en cuartos y uno en tercios de maneras
diferentes a los de arriba. ¿Qué partes son más grandes: los
cuartos o los tercios? Explica.

Escribe _____

_____

_____

Piensa en ▸ **Dividir rectángulos en partes iguales**

Explora la idea Sigue las instrucciones para cada rectángulo.

2 Divide este rectángulo en dos partes iguales.

3 Completa esta oración sobre el rectángulo del problema 2. Usa una palabra del recuadro de la derecha.

Cada parte es un _____ de todo el rectángulo.

| medio |
| tercio |
| cuarto |

4 Divide este rectángulo en tres partes iguales.

5 Completa esta oración sobre el rectángulo del problema 4. Usa una palabra del recuadro de la derecha.

Cada parte es un _____ de todo el rectángulo.

| medio |
| tercio |
| cuarto |

6 Divide este rectángulo en cuatro partes iguales.

7 Completa esta oración sobre el rectángulo del problema 6. Usa una palabra del recuadro de la derecha.

| medio |
| tercio |
| cuarto |

Cada parte es un _____ de todo el rectángulo.

¡Vamos a conversar!
Trabaja con un compañero.

8 ¿Cuántos medios hay en el rectángulo grande del problema 2?

_____

9 ¿Cuántos tercios hay en el rectángulo grande del problema 4?

_____

10 ¿Cuántos cuartos hay en el rectángulo grande del problema 6?

_____

Prueba de otro modo Muestra una manera diferente de formar medios, tercios y cuartos.

11 Muestra otra manera de dividir un rectángulo en medios.

12 Muestra otra manera de dividir un rectángulo en tercios.

13 Muestra otra manera de dividir un rectángulo en cuartos.

Conecta ▶ **Ideas sobre dividir en partes**

Comenta estas preguntas con la clase y luego escribe tus respuestas abajo.

14 Explica Carlos y Abel compran el mismo sándwich. El sándwich de Carlos está cortado en tercios. El sándwich de Abel está cortado en cuartos. ¿Qué sándwich tiene porciones más pequeñas? Explica.

_____

_____

_____

_____

15 Compara ¿Qué círculo está dividido en tercios? Explica.

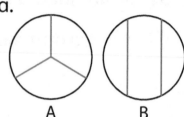

_____

_____

A   B

_____

16 Dibuja Divide los cuadrados en mitades de dos maneras diferentes. Haz los medios de un cuadrado de diferente forma que los medios del otro cuadrado. Prueba hacer lo mismo con los círculos. ¿Qué notas?

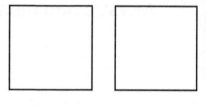

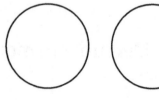

_____

_____

_____

Aplica **Ideas sobre dividir en partes**

Combina todo **Usa lo que aprendiste para completar esta tarea.**

17 Sara y su mamá hacen estas 3 pizzas para una fiesta.

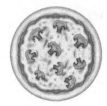  

Parte A Sara tendrá 10 invitados a la fiesta.
Dibuja cómo podría cortar cada pizza para que cada invitado reciba 1 porción de pizza.

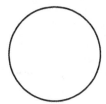

Parte B Sara invita a más personas a la fiesta.
Ahora habrá 12 invitados. Dibuja cómo podría cortar cada pizza para que cada invitado reciba 1 porción de pizza.

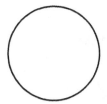  

Parte C ¿Crees que cada invitado recibe una cantidad igual de pizza? Explica.

_____

_____

_____

Unidad 4
MATEMÁTICAS
EN ACCIÓN

👥 **Introducción**

Reconoce y usa figuras

EPM1 Entienden
problemas y
perseveran en
resolverlos.

Estudia un problema y su solución

Lee el siguiente problema sobre separar figuras en partes iguales. Luego estudia cómo Luna resolvió el problema.

Forma de los pasteles

Luna hace 3 pasteles. Quiere cortar cada pastel en porciones de igual tamaño. Lee las notas de Luna.

Mis notas

Mis pasteles tienen la forma de un círculo, un rectángulo

y un cuadrado.

· Cortar un pastel en medios.

· Cortar uno en tercios.

· Cortar uno en cuartos.

Muestra una manera en la que Luna puede cortar los pasteles.

Muestra cómo la solución de Luna corresponde a la lista.

✏️ **Lista de chequeo para la solución de problemas**

☐ Di lo que se sabe.

☐ Di lo que pide el problema.

☐ Muestra todo tu trabajo.

☐ Muestra que la solución tiene sentido.

a. Haz un círculo alrededor de lo que se sabe.

b. Subraya las cosas que hace falta averiguar.

c. Encierra en un cuadro lo que haces para resolver el problema.

d. Pon una marca junto a la parte que muestra que la solución tiene sentido.

La solución de Luna

▷ **Sé qué son los** medios, los tercios y los cuartos.

Los medios son 2 partes iguales.

Los tercios son 3 partes iguales.

Los cuartos son 4 partes iguales.

> Hola, soy Luna. Así fue como resolví este problema.

> Pensé en lo que ya sé.

▷ **Necesito cortar cada figura en un número distinto de partes iguales.**

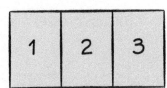

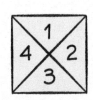

2 medios
círculos
(2 mitades)

3 rectángulos del
mismo tamaño
(3 tercios)

4 triángulos
del mismo tamaño
(4 cuartos)

▷ **Puedo decir cómo corto los pasteles.**

Corto el pastel circular en medios.

Corto el pastel rectangular en tercios.

Corto el pastel cuadrado en cuartos.

> Rotulé los dibujos para comprobar mi razonamiento.

Prueba Otro método

Hay muchas maneras de resolver problemas. Piensa en cómo podrías resolver el problema de la "Forma de los pasteles" de una manera distinta.

Forma de los pasteles

Luna hace 3 pasteles. Quiere cortar cada pastel en porciones de igual tamaño. Lee las notas de Luna.

Mis notas

Mis pasteles tienen la forma de un círculo, un rectángulo y un cuadrado.

· Cortar un pastel en medios.

· Cortar uno en tercios.

· Cortar uno en cuartos.

Muestra una manera en la que Luna puede cortar los pasteles.

▶ **Planea Contesta la siguiente pregunta para empezar a pensar en un plan.**

Fíjate en la respuesta en el ejemplo anterior. ¿Cómo puedes cortar cada figura en un número distinto de porciones?

_____

_____

_____

_____

Resuelve Halla una solución distinta al problema de la "Forma de los pasteles". Muestra todo tu trabajo en una hoja de papel aparte.

Tal vez quieras usar las sugerencias de abajo para empezar.

Sugerencias para resolver problemas

● **Preguntas**

• ¿Puedo cortar porciones que sean triangulares?

• ¿Puedo cortar porciones que sean rectangulares?

• ¿Puedo cortar un círculo en 3 partes iguales? ¿Y en 4 partes iguales?

Lista de chequeo

Asegúrate de...

☐ decir lo que se sabe.

☐ decir lo que pide el problema.

☐ mostrar todo tu trabajo.

☐ mostrar que la solución tiene sentido.

● **Banco de palabras**

igual	un medio	medios	cuadrado
figura	un tercio	tercios	rectángulo
	un cuarto	cuartos	círculo

● **Oraciones modelo**

• Hay _____ partes iguales.

• Esta figura está cortada en _____

Reflexiona

Usa las prácticas de las matemáticas Comenta la siguiente pregunta con un compañero.

• **Usa modelos** ¿Cómo puedes usar el nombre de la fracción para decir cuántas partes iguales describe?

**Resuelve este problema en una hoja de papel aparte.
Hay distintas maneras en que lo puedes resolver.**

Cortar pasteles

Los amigos de Luna hacen pasteles de todos los
tamaños y formas. Luna los ayuda a planear
maneras de cortar los pasteles en porciones de
distintos tamaños. Este es un plan.

Mi plan para cortar los pasteles

- Dibujar cuadrados sobre el pastel para mostrar
  cómo cortarla en porciones.
- Cada cuadrado debe ser del mismo tamaño.

Luna tiene un pastel cuadrado como éste.
Cada lado mide 6 pulgadas de largo.

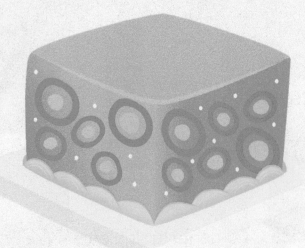

¿En cuadrados de qué tamaño puede Luna cortar
el pastel?

▶ Planea y resuelve Halla una solución al problema de la "Forma de los pasteles" de Luna.

Usa el diagrama del pastel cuadrado de Luna en la Hoja de actividades Cortar pasteles.

- Divide el cuadrado en cuadrados más pequeños de igual tamaño.
- Luego escribe la longitud de los lados de tus cuadrados.
- Por último, di por qué las porciones tienen sentido en el plan de Luna.

Tal vez quieras usar las sugerencias de abajo para empezar.

Sugerencias para resolver problemas

- **Preguntas**
  - ¿Puedo usar cuadrados que tengan lados de 1 pulgada? ¿Y lados de 2 pulgadas? ¿Y lados de 4 pulgadas?

- **Herramientas**

- **Banco de palabras**

cuadrado	lados	igual
pulgadas	tamaño	

Lista de chequeo

Asegúrate de...

- ☐ decir lo que se sabe.
- ☐ decir lo que pide el problema.
- ☐ mostrar todo tu trabajo.
- ☐ mostrar que la solución tiene sentido.

▶ Reflexiona

Usa las prácticas de las matemáticas Comenta la siguiente pregunta con un compañero.

- **Usa herramientas** ¿Cómo puedes unir las fichas cuadradas para formar cuadrados de distintos tamaños?

Persevera ▸ Por tu cuenta

Resuelve el problema en una hoja de papel aparte.

Hacer un pastel 1

Luna quiere hacer un pastel que se parezca a este pez.

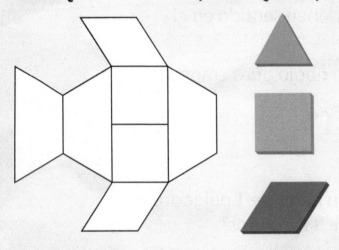

¿Cómo puede Luna hacer el pastel con las figuras que
se muestran?

▶ **Resuelve Ayuda a Luna a hacer el pastel que se
muestra arriba.**

Usa la Hoja de actividades Hacer un pastel y las figuras que se
muestran arriba.

• Halla una manera de usar las figuras de Luna para formar un pez.
• Haz bosquejos de las figuras que usaste.
• Haz una lista de las figuras que usaste.
• Di cuántas de cada una de las figuras usaste.

▶ **Reflexiona**

Usa las prácticas de las matemáticas Comenta la siguiente
pregunta con un compañero.

• **Construye un argumento** ¿Cómo sabes que nombraste cada
figura correctamente?

Hacer un pastel 2

Luna necesita hacer un pastel con este diseño.

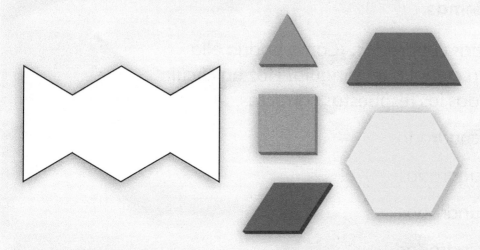

Puedes usar cualesquiera de las figuras que se muestran arriba.

Puedes usar cualquier figura más de una vez.

▶ **Resuelve** **Ayuda a Luna a hacer el pastel que se muestra arriba.**

Usa la Hoja de actividades Hacer un pastel 2
y las figuras que se muestran arriba.
• Halla dos maneras de hacer el diseño.
• Haz bosquejos de las figuras que usaste.
• Haz una lista de las figuras que usaste.
• Di cuántas de cada una de las figuras usaste.

▶ **Reflexiona**

Usa las prácticas de las matemáticas Comenta la
siguiente pregunta con un compañero.

• **Usa herramientas** ¿Cómo usaste los bloques de patrones de
figuras para ayudarte a resolver el problema?

Resuelve los problemas.

1 Zoé tiene 18 fichas cuadradas. ¿Cómo podría ella disponerlas para crear un rectángulo? Haz un círculo alrededor de todas las respuestas correctas.

    A 10 filas de 8 cuadrados

    B 9 filas de 2 cuadrados

    C 6 filas de 3 cuadrados

    D 5 filas de 4 cuadrados

2 Elsa dibujó este rectángulo y lo dividió en cuatro partes iguales.

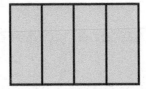

¿Cuáles de los rectángulos de abajo están divididos en partes que son del mismo tamaño que las partes del rectángulo de Elsa? Haz un círculo alrededor de todas las respuestas correctas.

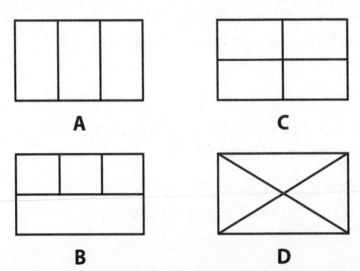

3 Héctor dibujó un hexágono. Haz un círculo alrededor de *Verdadero* o *Falso* para cada enunciado acerca de la figura que él dibujó.

a. Tiene 6 ángulos.   Verdadero   Falso

b. Es un cuadrilátero.   Verdadero   Falso

c. Tiene más de 5 lados.   Verdadero   Falso

d. Tiene menos ángulos que un rectángulo.   Verdadero   Falso

4 Dibuja el resto de los cuadrados para llenar este rectángulo. Haz todos tus cuadrados del mismo tamaño que el cuadrado gris.

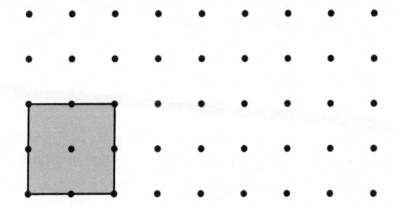

¿Cuántos cuadrados hay en total?

Respuesta _____ cuadrados

5 Alfredo dice que un tercio de este círculo está sombreado. ¿Estás de acuerdo? Explica por qué sí o por qué no.

_____

_____

Prueba de rendimiento

Contesta las preguntas. Usa las figuras en esta página. Muestra el resto de tu trabajo en una hoja de papel aparte.

La escuela Libertad tiene un "Día al aire libre". Cada grado juega en un campo distinto.

- Hay dos clases de primer grado. Traza una recta que divida este campo rectangular en 2 partes iguales. ¿Qué figura tiene cada parte? ¿Cuál es el nombre de cada parte? Elige una palabra del cuadro a la derecha.

un medio

un tercio

un cuarto

- Explica cómo podrías dividir el mismo campo en dos partes iguales con diferente figura. ¿Qué figura tiene cada parte?

- Hay cuatro clases de segundo grado y cuatro clases de tercer grado. Traza rectas que dividan cada campo cuadrado en 4 partes iguales. Divide los dos campos de formas diferentes. ¿Cuál es el nombre de cada parte? Elige una palabra del cuadro de arriba.

Grado 2   Grado 3

▶ Reflexiona

Usa un modelo ¿Cómo podrías doblar una hoja cuadrada de papel para demostrar que tus cuadrados tienen 4 partes iguales?

Glosario

a. m. en la mañana, o en el tiempo entre la medianoche y el mediodía.

ángulo una de las esquinas de una figura en la que se unen dos lados.

ángulo

centavo menor unidad monetaria en Estados Unidos.

centímetro unidad de longitud. Tu meñique mide aproximadamente 1 centímetro de ancho.

columna línea vertical de objetos en una matriz.

comparar determinar si un número es mayor (>), menor (<) o igual (=) que otro número.

cuadrado figura plana con cuatro lados de la misma longitud y cuatro esquinas cuadradas.

cuadrilátero figura plana con cuatro lados y cuatro ángulos exactamente.

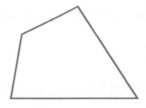

cuartos partes que se obtienen cuando se divide un entero en 4 partes iguales.

cuartos

4 partes iguales

datos la información reunida.

Glosario

diagrama de puntos gráfica que usa marcas sobre una recta numérica para mostrar los datos.

Longitud de leones marinos

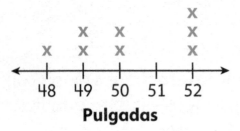

Pulgadas

diferencia resultado de la resta.

$9 - 3 = 6 \leftarrow$ **diferencia**

dígito símbolo que se usa para escribir números. Los dígitos son 0, 1, 2, 3, 4, 5, 6, 7, 8 y 9.

dólar unidad de dinero igual a 100 centavos.

ecuación oración numérica que tiene un signo de igual (=).

$3 + 5 = 8$ es una **ecuación** de suma.

estimación suposición aproximada que se hace usando el razonamiento matemático.

estimar hacer una suposición aproximada usando el razonamiento matemático.

familia de datos grupo de datos matemáticos que tienen los mismos tres números.

$7 - 3 = 4$

$7 - 4 = 3$

$3 + 4 = 7$

$4 + 3 = 7$

fila línea horizontal de objetos en una matriz.

gráfica de barras manera de mostrar datos usando barras.

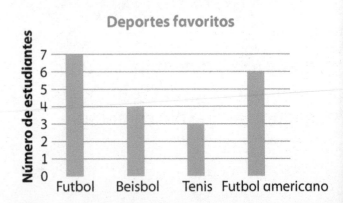

hexágono figura plana con seis lados y seis ángulos exactamente.

hora unidad de tiempo que es igual a 60 minutos.

igual (=) mismo valor o misma cantidad.

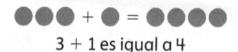

3 + 1 es igual a 4

lado una de las rectas que forman una figura bidimensional.

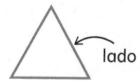

lado

longitud qué tan largo es un objeto.

manecilla de la hora manecilla más corta del reloj. Muestra las horas.

manecilla de la hora

matriz conjunto de objetos agrupados en filas y columnas iguales.

medios partes que se obtienen cuando se divide un entero en 2 partes iguales.

medios

2 partes iguales

metro unidad de longitud. Un metro es igual a 100 centímetros.

minutero manecilla más larga del reloj. Muestra los minutos.

minutero

minuto unidad de tiempo igual a 60 segundos.

número impar número entero que tiene 1, 3, 5, 7 o 9 en la posición de las unidades.

número par número entero que tiene 0, 2, 4, 6 u 8 en la posición de las unidades. Los números pares son los que cuentas de 2 en 2.

pentágono figura plana con cinco lados y cinco ángulos exactamente.

pictografía manera de mostrar datos usando dibujos.

Verduras favoritas

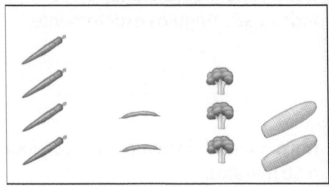

Zanahorias   Habichuelas   Brócoli   Maíz

pie unidad de longitud. Un pie es igual a 12 pulgadas.

p. m. tiempo entre el mediodía y la medianoche.

pulgada unidad de longitud. Una moneda de 25¢ mide 1 pulgada de ancho aproximadamente.

reagrupar unir o separar decenas y unidades. Por ejemplo, 12 unidades es 1 decena y 2 unidades.

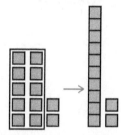

Reagrupar 12 unidades como 1 decena y 2 unidades

rectángulo figura plana con 4 lados y cuatro esquinas cuadradas.

reloj analógico reloj con manecilla de la hora y minutero.

manecilla de la hora / minutero

reloj digital reloj que usa dígitos para mostrar la hora.

restar quitar o hallar la diferencia.

rombo figura plana con 4 lados y todos los lados de la misma longitud.

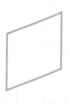

segundo unidad de tiempo.

símbolo de mayor que (>) símbolo que se usa para mostrar que un número es mayor que otro.

6   4

6 es mayor que 4.

símbolo de menor que (<) símbolo que se usa para mostrar que un número es menor que otro.

3   5

3 es menor que 5.

osario

sumando número que se suma.

$$4 + 7 = 11$$

sumandos

sumar combinar o hallar el total.

T

tercios partes que se obtienen cuando se divide un entero en tres partes iguales.

tercios

3 partes iguales

total resultado de una suma.

$$9 + 3 = 12 \leftarrow \text{total}$$

triángulo figura plana con exactamente tres lados rectos y tres ángulos.

V

valor posicional valor de un dígito según su posición en un número.

Centenas	Decenas	Unidades
4	4	4

↓	↓	↓
400	40	4

Y

yarda unidad de longitud. Una yarda es igual a 3 pies, o 36 pulgadas.

Estándares Estatales Comunes de Matemáticas cubiertos en *Ready® Matemáticas*

La siguiente tabla correlaciona cada uno de los Estándares de matemáticas con las lecciones de *Ready® Matemáticas* que enfocan la enseñanza de ese estándar. Use esta tabla para determinar qué lecciones deben completar sus estudiantes basándose en su dominio de cada estándar.

Estándares Estatales Comunes de Matemáticas para Grado 2	Tipo de énfasis	Lecciones *Ready®*
Operaciones y pensamiento algebraico		
Representan y resuelven problemas relacionados a la suma y a la resta.		
2.OA.A.1 Usan la suma y la resta hasta el número 100 para resolver problemas verbales de uno y dos pasos relacionados a situaciones en las cuales tienen que sumar, restar, unir, separar, y comparar, con valores desconocidos en todas las posiciones, por ejemplo, al representar el problema a través del uso de dibujos y ecuaciones con un símbolo para el número desconocido.	Principal	2, 6, 9, 21
Suman y restan hasta el número 20.		
2.OA.B.2 Suman y restan con fluidez hasta el número 20 usando estrategias mentales. Al final del segundo grado, saben de memoria todas las sumas de dos números de un solo dígito.	Principal	1, 3
Trabajan con grupos de objetos equivalentes para establecer los fundamentos para la multiplicación.		
2.OA.C.3 Determinan si un grupo de objetos (hasta 20) tiene un número par o impar de miembros, por ejemplo, al emparejar objetos o al contar de dos en dos; escriben ecuaciones para expresar un número par como el resultado de una suma de dos sumandos iguales.	Auxiliar/ Suplemental	4
2.OA.C.4 Utilizan la suma para encontrar el número total de objetos colocados en forma rectangular con hasta 5 hileras y hasta 5 columnas; escriben una ecuación para expresar el total como la suma de sumandos iguales.	Auxiliar/ Suplemental	5
Números y operaciones en base diez		
Comprenden el valor de posición.		
2.NBD.A.1 Comprenden que los tres dígitos de un número de tres dígitos representan cantidades de centenas, decenas y unidades; por ejemplo, 706 es igual a 7 centenas, 0 decenas y 6 unidades. Comprenden los siguientes casos especiales:	Principal	10
2.NBD.A.1a 100 puede considerarse como un conjunto de diez decenas – llamado "centena".	Principal	10
2.NBD.A.1b Los números 100, 200, 300, 400, 500, 600, 700, 800, 900 se refieren a una, dos, tres, cuatro, cinco, seis, siete, ocho o nueve centenas (y 0 decenas y 0 unidades).	Principal	10

Los Estándares para la práctica de las matemáticas están integrados en todas las lecciones de enseñanza.

Números y operaciones en base diez *continuación*

Comprenden el valor de posición. *continuación*

	Tipo de énfasis	Lecciones Ready®
2.NBD.A.2 Cuentan hasta 1000; cuentan de 2 en 2, de 5 en 5, de 10 en 10, y de 100 en 100.	Principal	5, 10, 24, 25
2.NBD.A.3 Leen y escriben números hasta 1000 usando numerales en base diez, los nombres de los números, y en forma desarrollada.	Principal	11
2.NBD.A.4 Comparan dos números de tres dígitos basándose en el significado de los dígitos de las centenas, decenas y las unidades usando los símbolos >, =, < para anotar los resultados de las comparaciones.	Principal	12

Utilizan el valor de posición y las propiedades de las operaciones para sumar y restar.

	Tipo de énfasis	Lecciones Ready®
2.NBD.B.5 Suman y restan hasta 100 con fluidez usando estrategias basadas en el valor de posicion, las propiedades de las operaciones, y/o la relación entre la suma y la resta.	Principal	7, 8, 9
2.NBD.B.6 Suman hasta cuatro números de dos dígitos usando estrategias basadas en el valor decposiciona y las propiedades de las operaciones.	Principal	15
2.NBD.B.7 Suman y restan hasta 1000, usando modelos concretos o dibujos y estrategias basadas en el valor de posición, las propiedades de las operaciones, y/o la relación entre la suma y la resta; relacionan la estrategia con un método escrito. Comprenden que al sumar o restar números de tres dígitos, se suman o restan centenas y centenas, decenas y decenas, unidades y unidades; y a veces es necesario componer y descomponer las decenas o las centenas.	Principal	13, 14
2.NBD.B.8 Suman mentalmente 10 ó 100 a un número dado del 100–900, y restan mentalmente 10 ó 100 de un número dado entre 100–900.	Principal	7, 8
2.NBD.B.9 Explican porqué las estrategias de suma y resta funcionan, al usar el valor posicional y las propiedades de las operaciones.	Principal	13, 14

Medición y datos

Miden y estiman las longitudes usando unidades estándares.

	Tipo de énfasis	Lecciones Ready®
2.MD.A.1 Miden la longitud de un objeto seleccionando y usando herramientas apropiadas tales como reglas, yardas, reglas métricas, y cintas de medir.	Principal	16, 17
2.MD.A.2 Miden la longitud de un objeto dos veces, usando unidades de longitud de diferentes longitudes cada vez; describen como ambas medidas se relacionan al tamaño de la unidad escogida.	Principal	18
2.MD.A.3 Estiman longitudes usando unidades de pulgadas, pies, centímetros, y metros.	Principal	19
2.MD.B.4 Miden para determinar cuanto más largo es un objeto que otro, y expresan la diferencia entre ambas longitudes usando una unidad de longitud estándar.	Principal	20

Los Éstandares para la práctica de las matemáticas están integrados en todas las lecciones de enseñanza.

Estándares Estatales Comunes de Matemáticas para Grado 2	Tipo de énfasis	Lecciones *Ready®*

Medición y datos *continuación*

Relacionan la suma y la resta con la longitud.

2.MD.B.5 Usan la suma y la resta hasta100 para resolver problemas verbales que envuelven longitudes dadas en unidades iguales, por ejemplo, al usar dibujos (como dibujos de reglas) y ecuaciones con un símbolo que represente el número desconocido en el problema.	Principal	21
2.MD.B.6 Representan números enteros como longitudes comenzando desde el 0 sobre una recta numérica con puntos igualmente espaciados que corresponden a los números 0, 1, 2, …, y que representan las sumas y restas de números enteros hasta el número 100 en una recta númérica.	Principal	21, 22

Trabajan con el tiempo y el dinero.

2.MD.C.7 Dicen y escriben la hora utilizando relojes análogos y digitales a los cinco minutos más cercanos, usando A.M. y P.M.	Auxiliar/ Suplemental	24
2.MD.C.8 Resuelven problemas verbales relacionados a las billetes de dólar, monedas de veinticinco, de diez, de cinco y de un centavos, usando los símbolos $ y ¢ apropiadamente. *Ejemplo; si tienes 2 monedas de diez centavos y 2 de centavo, ¿cuántos centavos tienes?*	Auxiliar/ Suplemental	25

Representan e interpretan datos.

2.MD.D.9 Generan datos de medición al medir las longitudes de varios objetos hasta la unidad entera más cercana, o al tomar las medidas del mismo objeto varias veces. Muestran las medidas por medio de un diagrama de puntos, en la cual la escala horizontal está marcada por unidades con números enteros.	Auxiliar/ Suplemental	22
2.MD.D.10 Dibujan una pictografía y una gráfica de barras (con escala unitaria) para representar un grupo de datos de hasta cuatro categorías. Resuelven problemas simples para unir, separar, y comparar usando la información representada en la gráfica de barras.	Auxiliar/ Suplemental	23

Geometría

Razonan usando figuras geométricas y sus atributos.

2.G.A.1 Reconocen y dibujan figuras que tengan atributos específicos, tales como un número dado de ángulos o un número dados de lados iguales. Identifican triángulos, cuadriláteros, pentágonos, hexágonos, y cubos.	Auxiliar/ Suplemental	26
2.G.A.2 Dividen un rectángulo en hileras y columnas de cuadrados del mismo tamaño y cuentan para encontrar el número total de los mismos.	Auxiliar/ Suplemental	27
2.G.A.3 Dividen círculos y rectángulos en dos, tres, o cuatro partes iguales, describen las partes usando las palabras medios, tercios, la mitad de, la tercera parte de, etc., y describen un entero como dos medios, tres tercios, cuatro cuartos. Reconocen que las partes iguales de enteros idénticos no necesariamente tienen que tener la misma forma.	Auxiliar/ Suplemental	28

Los Estándares para la práctica de las matemáticas están integrados en todas las lecciones de enseñanza.

...ecimientos

...éditos de las ilustraciones

página 30: Rob McClurkan

página 146: Sam Valentino

página 240: Sam Valentino

página 243: Sam Valentino

página 274: Rob McClurkan

página 276: Sam Valentino

página 277: Sam Valentino

Todas las demás ilustraciones por Fian Arroyo.

Créditos de las fotografías

página 8: Natalia Korshunova/Shutterstock

página 48: Chesky/Shutterstock (robot)

página 48: stockernumber2/Shutterstock (estante)

página 52: cameilia/Shutterstock (rocas)

página 52: Maxal Tamor/Shutterstock (bandejas)

página 54: 3DMAVR/Shutterstock (cajas)

página 54: vovan/Shutterstock (tornillos)

página 55: konzeptm/Shutterstock

página 70: Tiplyashina Evgeniya/Shutterstock

página 106: Christophe Testi/Shutterstock

página 114: subin pumsom/Shutterstock

página 142: Sergio33/Shutterstock (galleta con chispas de chocolate)

página 142: Bryan Solomon/Shutterstock (galleta de mantequilla de maní)

página 142: Danny Smythe/Shutterstock (galleta de avena y pasas)

página 148: NataliTerr/Shutterstock

página 149: littleny/Shutterstock

página 161: Bragin Alexey/Shutterstock

página 167: Polryaz/Shutterstock (reloj)

página 167: Maksim Toome/Shutterstock (carro)

página 173: StockPhotosArt/Shutterstock (borrador)

página 173: Everything/Shutterstock (crayón)

página 173: Lucie Lang/Shutterstock (pinza para el cabello)

página 173: Enrique Ramos/Shutterstock (botón)

página 174: schankz/Shutterstock

página 175: RTimages/Shutterstock

página 236: Enrique Ramos/Shutterstock

página 242: Kucher Serhii/Shutterstock (corazones de madera)

página 242: Simon Bratt/Shutterstock (letras de madera)

Imágenes de fondo usadas a lo largo de las lecciones por Ortis/Shutterstock, irin-k/Shutterstock y Kritsada Namborisut/Shutterstock.